D1157917

La veuve des Van Gogh

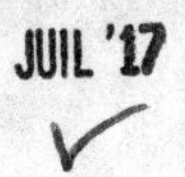

Camilo Sánchez

La veuve des Van Gogh

Traduit de l'espagnol (Argentine)
par Fanchita Gonzalez Batlle

Liana Levi

Titre original : *La viuda de los Van Gogh*

ISBN : 978-2-86746-934-3

www.lianalevi.fr

À Silvana du Caraguatà

1

Annoncé par une ombre pesante sur chaque marche de l'escalier, Théo Van Gogh entre, talonné par le spectre de la mort

Johanna le regarde. En trois jours il a vieilli de dix ans.

Il n'accorde presque aucune attention à sa femme et son enfant. Avec un soin extrême il glisse sous le lit les derniers travaux de son frère, plusieurs toiles roulées, peintes encore récemment. Puis dans le coffre en chêne contenant les lettres de son frère il en dépose une dernière, que Vincent avait sur lui quand il s'est tiré une balle et s'est couché pour dormir.

Dehors, on entend le claquement des sabots des chevaux sur le pavé, Johanna Van Gogh-Bonger retourne à ses papiers. Mais avant d'en arriver aux mots elle met d'abord de l'ordre dans l'appartement, ce petit univers de plus en plus incertain.

Sur une table en amandier, au quatrième étage du 8, rue Pigalle à Montmartre, la musique de la ville éveillée commence à s'estomper. Et tandis que la soirée avance Johanna ne parvient pas à distinguer la couleur de ce qui vient.

Elle étrenne – est-ce une coïncidence ? – un nouveau cahier de son journal intime avec la nouvelle de la mort de son beau-frère. Elle écrit.

Théo n'a pas voulu parler de l'agonie de Vincent.
C'est à peine s'il a dit qu'il paraissait calme dans le cercueil posé sur la table de billard de l'auberge Ravoux, et que cela avait été une bonne idée d'exposer quelques-unes de ses dernières œuvres autour de sa dépouille.
Je me suis contenue pour ne pas lui dire la grossièreté qui m'est venue à l'esprit : qu'il avait enfin réussi à avoir sa première exposition individuelle.
Je me suis tue et Théo est allé dormir. Depuis six heures il fait sa première grande sieste sans que son frère soit présent en ce monde.

Je me suis toujours sentie un peu comme une intruse, un intermédiaire entre les frères Van Gogh, écrit Johanna dans son journal intime.

Les quatre dernières années elle a choisi de détourner les yeux quand Théo envoyait l'enveloppe contenant les cent cinquante francs mensuels ; elle a également calmé son mari lorsque, furieux, il parlait d'abandonner son frère à son sort.

Si nous y mettons de la passion, à feu lent, se répète-t-elle en langeant son fils, et elle prend une décision parce que son époux ne quitte pas le lit : rédiger elle-même pour l'envoyer à l'imprimerie l'avis de décès de son beau-frère.

Comme Johanna évite les hypocrisies, le faire-part est au nom de Théo, le seul à s'être occupé de tout jusqu'à la fin. Avec diplomatie, cependant, Johanna indique deux adresses d'expéditeur : celle de l'appartement qu'elle partage avec son mari à Montmartre, 8, rue Pigalle, Paris, et, bien qu'elle le ressente presque comme une concession, celle de la mère des Van Gogh sur Herengracht, Leyde, Hollande.

Elle pense à une chose qu'elle veut oublier. Dans la longue nuit d'été accablante de Paris, elle se demande pour la première fois si elle a bien fait d'accepter que son fils soit prénommé Vincent en hommage à son oncle peintre.

J'essaie de calmer la douleur de mes seins crevassés par l'exigence du petit avec une crème au calendula.
Écrire calme le reste de mon corps.
Mon fils, le petit Vincent, dort dans son berceau de chêne : je pense maintenant qu'il devra être fort pour briser la malédiction qui entoure son prénom.

Johanna est tourmentée sans répit par le regret de ne pas s'être opposée, lorsqu'elle était enceinte de trois ou quatre mois, à l'idée de Théo de perpétuer la tradition familiale en prénommant leur fils Vincent.

Elle ignorait à cette époque que ce prénom était marqué par tant de malheurs. Elle a pu reconstituer l'histoire il y a quelques jours quand elle s'est finalement rendu compte que son beau-frère n'avait pas été l'aîné de la famille.

Avant Vincent et Théo, il y avait eu un autre frère, lui aussi prénommé Vincent, et il était mort à la naissance ou quelques heures plus tard. Johanna ne connaît pas encore tous les détails.

Un an après, jour pour jour, et comme une condamnation, naissait le Vincent qui vient de mourir.

Ce que Johanna a pu apprendre, et l'image la poursuit depuis lors, c'est que le premier Vincent a été enterré dans le petit cimetière de Zundert, à côté des hauts murs colorés de l'église, munie d'une lucarne au-dessous du toit de tuiles, à quelques mètres de la maison des Van Gogh.

Et que le second Vincent, celui qui vient de se suicider, a grandi en déposant des fleurs sur une tombe où il lisait son nom et la date de son anniversaire.

De quoi donner des frissons.

Dorénavant, dans ce journal, Vincent sera le prénom par lequel je désignerai mon fils.

L'autre, le mort, celui des cobalts et des jaunes, celui des champs de blé mûr et des tournesols contre le monde, je l'appellerai Van Gogh.

Johanna doit convaincre Théo, qui est resté couché presque deux jours entiers, d'envoyer à sa mère quelques exemplaires de l'avis de décès de son frère.

Ce n'est pas simple.

Ils ne l'ont pas vue depuis que la dame est tombée d'une diligence Van Gend & Loos il y a un an et demi, et qu'elle en a gardé des douleurs permanentes dans les hanches. Ce qui a accentué le caractère distant et revêche d'Anna Cornelia Carbentus. André Bonger, le frère de Johanna, le meilleur ami de Théo, l'a toujours appelée « la dame aux yeux de glace ».

Johanna aide son mari à sortir du lit et le pousse pratiquement dans un bain d'eau froide pour qu'il reprenne un peu de forces. Théo écrit une lettre à sa mère et la laisse délibérément sur la table.

La mort de Vincent est une douleur qui m'accablera longtemps et qui ne s'effacera certainement pas de mes pensées ma vie durant; mais si nous devons dire quelque chose c'est qu'il connaît enfin la tranquillité qu'il désirait tant.

La vie lui pesait beaucoup mais, comme il arrive souvent, maintenant *tout le monde n'a que des louanges pour son talent.*

Johanna s'étonne que « maintenant » soit souligné d'un trait énergique.

Il lui semble en outre que ce n'est pas vrai. Que Théo exagère en disant que tout le monde reconnaît maintenant le talent de Van Gogh.

Le petit Vincent traverse deux jours de fièvre et d'inquiétude qui le font pleurer presque en permanence ; il en ressort avec une minuscule pointe blanche sur la gencive inférieure.

Le signe de sa première dent le met de mauvaise humeur.

Johanna réussit à comprendre que ses plaintes viennent d'une colère précise, que son fils pleure comme s'il cherchait à en sortir. Théo, en revanche, pendant cette première semaine de deuil, la barbe hirsute et un costume gris foncé qu'il n'enlève même pas pour dormir, paraît se complaire tout au fond de l'abîme.

> Je surmonte, comme je peux, le chagrin de mon mari.
> La mort installe dans la maison une atmosphère cérémonieuse et définitive. Ainsi que l'idée que tout ce que nous faisons est, d'une certaine façon, irréel.

À Paris, la grève des cochers de fiacre provoquée par le refus des compagnies d'acheter de nouveaux véhicules est largement suivie. Les quotidiens rendent compte des difficultés qu'elle entraîne ; pour les riches qui ne veulent pas aller à pied et pour les touristes qui n'ont pas de temps à perdre. L'absence de voitures de louage dans la ville déserte se fait remarquer.

C'est pourquoi ce samedi d'août 1890, Johanna peut voir le pavé de Paris dans toute son ampleur : luisant sous les nouveaux becs de gaz.

« Les fiacres dans les dépôts, les chevaux dans les écuries et les cochers dans les auberges. Du temps de Louis-Philippe ils auraient fini en prison », entend dire Johanna au marché par une dame raffinée, élégante, nostalgique d'une époque à jamais révolue. Le dimanche, quand la grève prend fin, Johanna parvient à convaincre Théo de faire une excursion. Avec le petit Vincent ils vont découvrir le gigantesque ascenseur des Fontinettes à Arques.

Le couple est impressionné par le mât de charge en fer de vingt ou trente mètres de haut qui soulève et dépose les bateaux comme s'ils étaient en carton.

« Ce que c'est que la science quand on fait appel à elle à des fins commerciales », dit Théo qui semble enfin s'intéresser à autre chose qu'à la mort de son frère.

Quand ils reviennent à une heure très tardive Johanna s'assoit devant le tableau du pont de Trinquetaille que Van Gogh a peint à Arles : une nuit lumineuse sur un Rhône aux reflets jaunes.

Elle garde aussi en tête l'image récente d'un immense bateau qui se balance en l'air.

Entre le fait esthétique et le progrès scientifique, lequel va le plus loin ou vient de plus loin ? se demande-t-elle.

Johanna ne pourra pas s'endormir avant l'aube. Elle écrit.

J'ai emmené le petit chez le médecin.
Dans la salle d'attente certains parlaient avec enthousiasme de l'approbation par la Chambre des députés d'un budget de 58 millions de francs pendant cinq ans.
Non pour des écoles ni des hôpitaux, mais pour la construction de navires de guerre.
Ils sont fous.
Théo est très absent : aujourd'hui il n'a pas dit un mot de toute la journée. Son deuil l'a rendu taciturne et je crains que son état de santé ne se dégrade de nouveau.

Johanna organise un dîner de famille à Pigalle, avec son frère André Bonger et sa femme Annie van der Linden.

Dans son style habituel Annie descend d'une voiture de louage récemment importée d'Angleterre ; elle porte un tout nouveau corset en caoutchouc qui évite la gêne, un jupon de dentelle noire sans aucun volant et, par-dessus, une robe légère en lin. Et elle a l'air éblouie par sa découverte récente.

« La mosaïque va changer l'architecture grisâtre de Paris », dit-elle sur le ton frivole, nasal et inexpressif qui est le sien, pendant qu'André, inquiet, passe les doigts dans ses cheveux fins qui ressemblent à des cheveux de femme ou d'enfant.

Malgré Annie, Johanna se ménage un moment d'intimité avec son frère pour lui demander des détails sur la mort de Van Gogh, puisque son mari les lui a épargnés jusque-là.

Elle les notera le soir même dans son journal.

> La balle dans la poitrine date du dimanche après-midi, mais le peintre, digne jusqu'à la fin, a refusé de donner au docteur Gachet l'adresse de cette maison pour qu'il envoie une dépêche : il ne voulait pas que Théo voie le décor de son agonie.

C'est le docteur Gachet qui très tôt le lundi matin a envoyé un message au bureau de Théo dans la vieille galerie Goupil.

Sans rien dire à personne, Théo et André ont pris le premier train pour Auvers d'où ils ont envoyé les nouvelles ; Johanna a alors pensé à tort qu'il s'agissait encore d'une crise. Une de plus.

> Dans ce premier courrier Théo me cachait l'existence de la balle dans la poitrine pour m'éviter une alarme qui, cette fois, était réelle : c'est ainsi qu'agissent parfois les Van Gogh.

Comme s'il ne savait pas la violence qui s'exerce quand on cherche à contrôler les émotions des autres.

Quand ils sont finalement parvenus jusqu'au lit de Van Gogh, André a dû s'occuper surtout de Théo, terrassé par le chagrin, car le peintre restait lucide malgré la fièvre, et sans se plaindre, couché dans son lit et fumant la pipe pendant qu'il laissait derrière lui toute son histoire.

Sa forte fièvre le rendait bavard. Des phrases telles que : « Ce n'était pas Théo, ce n'était pas Elisabeth, c'était moi », qui évoquaient une scène imprécise de son enfance ; jusqu'à des propos quelque peu incompréhensibles comme : « Ce n'est pas grand-chose un homme seul qui sauve une couleur de la dérive », ou des tirades entières de *Richard III*, restes de l'époque où il se passionnait pour Shakespeare.

Théo parle à peine pendant tout le dîner.

« Le pire a été le curé[1] », sont les seuls mots qu'il glisse pendant qu'ils en sont au plat principal.

André complète le récit.

Comme il s'agissait d'un suicide, le curé d'Auvers a refusé de prêter le corbillard de la paroisse et c'est Émile Bernard, dans la profonde mélancolie de l'adieu, qui est allé en négocier un autre dans un village voisin, Méry.

Il y a une pleine lune que les iris en fleurs de la cour semblent remercier.
Même le secteur le plus festif et sordide de Montmartre commence à sombrer dans le sommeil.
J'écris la nuit, tard, quand plus personne ne peut m'imposer ses pensées.

---

1. Le nom de famille du curé était Teissier. Il n'a pas été possible de retrouver de trace de son prénom.

J'écris contre mon instinct: le petit ronronne dans son berceau comme s'il exigeait ma présence à ses côtés.
Récemment il paraissait captivé par le son d'un hochet en bois.
Ses yeux papillotaient, curieux, à la recherche de l'origine du bruit.

Johanna Van Gogh-Bonger se prépare à cuisiner des magrets de canard qu'elle a mis à mariner la veille dans un mélange de cognac et de citron. Elle les parsèmera de quelques olives noires que le peintre a achetées il y a deux mois quand ils se sont enfin rencontrés et que Vincent Van Gogh a cessé de n'être pour elle qu'un nom, les tableaux qui occupent tous les murs de l'appartement, la correspondance ponctuelle et obsédante, les troubles psychiatriques qui ont rempli d'ombres les nuits de ses fiançailles et de son mariage avec Théo, et les cent cinquante francs mensuels.

Pendant que les magrets dorent dans la poêle, Johanna émince trois oignons violets et parfumés, écrase quelques gousses d'ail et se rappelle le moment où elle a fait la connaissance de Vincent Van Gogh. Théo était allé chercher son frère à la gare, inquiet parce qu'il pensait qu'il ne pourrait pas rester seul une minute, et plus tard ils sont descendus ensemble d'une voiture de louage, souriants.

Certes, Johanna ne le connaissait pas, mais la ressemblance entre Van Gogh et son autoportrait au chevalet qui était resté deux mois dans le couloir devant la garde-robe était surprenante.

Elle se rappelle un geste de Van Gogh. Il s'était arrêté devant le fiacre et avait dit au revoir à l'un des chevaux en le caressant lentement à partir du front et le long de l'encolure comme s'il voulait le remercier du voyage.

Johanna n'avait jamais rien vu de tel.

En y repensant, elle découvre qu'à aucun moment durant ces deux mois elle n'a pu soupçonner l'envie de mourir chez cet homme qui agissait à son propre rythme et paraissait plus jeune que son mari.

Ces jours-ci la chaleur rend Paris insupportable.

La ville ne devient plus aimable que lorsque souffle une brise venant de la campagne chargée d'un parfum de légumes frais et qu'elle supplante l'odeur aigre du crottin de cheval qui se calcine au soleil.

Le rendez-vous avec Edith Tcherniac a presque été une excuse pour que Johanna s'échappe un moment de l'appartement, qu'elle a laissé entre les mains de Zuleica, une adolescente espagnole qui l'aide à tenir la maison. Cette jeune fille qui semble la connaître mieux que quiconque l'a soutenue dans sa décision parce qu'elle sait quand Madame est sur le point d'exploser et chaque fois, un peu avant, elle l'encourage à sortir prendre l'air.

Comme il ne sera cinq heures que dans une demi-heure, Johanna s'assoit au Café Vachette où ils ont la délicatesse de laisser sur les tables des feuilles de papier de couleur pour inciter les clients à écrire.

L'endroit est encore en ébullition. Le garçon raconte à Johanna qu'il y a peu, à une table voisine, Verlaine, ivre, a dérangé tout le monde avec sa façon de frapper le plancher de sa canne en exigeant d'être pris au sérieux.

« Je ne suis pas saoul, je ne bois que pour conserver ma réputation », criait-il tout excité.

Edith Tcherniac arrive un peu après l'heure convenue dans une robe légère qui effleure à peine le sol et elle apporte un cadeau à Johanna, un article de *The Observer* sur Percy Bysshe Shelley, ainsi que quelques potins peu intéressants sur le British Museum et la vie à Londres en général.

Elle raconte par exemple qu'en Angleterre la mode est à un nouveau système inventé à Nottingham, baptisé paraît-il water-closet ; c'est un dispositif qui permet d'uriner assis.

« C'est très amusant cette façon de faire des Anglais, chacun sur son trône », dit Edith et elles rient, un peu comme au bon vieux temps.

Très vite transparaît dans les propos d'Edith Tcherniac la véritable raison de ses efforts pour retrouver Johanna à Paris : elle veut lui poser des questions sur Vincent Van Gogh.

En fin de compte elle est à la recherche d'un homme.

Il y a quelques années elle l'a vu peindre, à Joinville ou rue des Abbesses, et elle n'a pas pu l'oublier. Elle a été éblouie par son instinct pour mélanger patiemment les couleurs sur la palette et déverser ensuite sur ses toiles, avec une fougue délicate, ces tons outranciers qui n'appartiennent qu'à lui.

« Il a peint le champ de blé le plus intense de la terre, avec, comme un présage, des corbeaux qui picorent le ciel, et ensuite il s'est tiré une balle dans la poitrine », révèle Johanna, et elle reste surprise d'avoir choisi ces mots secs pour le raconter.

La conversation n'est pas rattrapable et elle décline, tout comme le jour.

Lorsqu'elles se disent au revoir il reste entre elles, sur la table du café, une fine pellicule de malaise.

Johanna rentre chez elle : trois heures sans nouvelles de son fils lui paraissent un siècle.

Le soir même elle lit l'article de *The Observer* sur Shelley.

Rien de nouveau : encore une fois des précisions sur sa mort prématurée en mer, ses malheurs sentimentaux, la rivalité entre les demi-sœurs Mary et Claire, le soupçon qu'il ait pu les aimer toutes les deux, et peu de chose sur l'essentiel, son travail de poète.

L'important dans l'article est qu'il assure qu'Henry Salt travaille sur une biographie de Shelley qui le réhabilite, sous l'impulsion de Browning, rien de moins.

Tandis que sa maison craque et menace de disparaître dans l'effondrement du deuil, Johanna prend finalement son élan et décide d'envoyer à Salt une copie de son essai sur *Hymne à la beauté intellectuelle* qu'elle a écrit lorsqu'elle était boursière à Londres.

Elle le relit et après quelques corrections elle pense que le texte se tient, qu'il a une certaine force.

Tout cela scelle ses retrouvailles avec Shelley: elle a passé presque trois ans sans fréquenter ses œuvres. Au-delà d'un excès de préciosité et d'artifices qui commence à la gêner, le poète reste vivant pour elle :

Comme les teintes et les harmonies du soir,
Tels des nuages déployés sous les étoiles –
Comme la mémoire d'une musique enfouie –
Tel tout ce qui pour sa grâce peut être
Cher, et plus cher encore de par son mystère[1].

Comme presque tous les mardis, Johanna et son frère André déjeunent ensemble. Seuls, fraternels, hollandais, sans Théo et sans Annie, au café Zidanne à Montmartre. Comme presque tous les mardis, Johanna sait qu'elle devra l'attendre. C'est pourquoi elle a emporté *L'Express* dans son fourre-tout de chez Pugliese en véritable cuir argentin.

Et comme elle ne veut pas perdre la bonne humeur avec laquelle elle s'est levée ce matin, elle évite pour le moment les gros titres et commence par les petites annonces. Elle

---

1. Percy Bysshe Shelley, *Hymne à la beauté intellectuelle & autres poèmes*, traduction de Florence Guilhot, éditions Ressouvenances, 1983.

lit : *Nourrice espagnole, 24 ans, bon lait frais et abondant.* Elle la découpe.

La nuit son fils Vincent ne dort pas plus de quatre heures d'affilée. Elle pense que les nuits qu'elle a passées sans dormir ont peut-être rendu son propre lait moins nourrissant.

Elle découpe aussi une autre petite annonce très amusante qui peut lui fournir un point de départ pour une future histoire : *Avis au public : au 24, rue des Tuileries on a trouvé un vieux cheval gris aux yeux blancs qu'un charretier m'a laissé avec la promesse de passer le chercher l'après-midi et il n'est pas revenu.*

André fait son entrée un bleuet à la boutonnière, la dernière mode parisienne, un détail qui porte la marque du raffinement. Il perçoit chez sa sœur une grimace de mécontentement et se hâte de se défendre avec une phrase elle aussi à la mode à Montmartre.

« C'est bourgeois d'avoir horreur des bourgeois. »

Réconforté par un sandwich au fromage et à la tomate accompagné d'une bière bien fraîche, André donne à Johanna des précisions supplémentaires sur la mort de Van Gogh.

« Théo se chargeait de Vincent et moi de Théo. Et je ne sais pas lequel des deux avait le plus à faire. »

André lui avoue que oui, Théo était démoli, tandis que Van Gogh, avec une balle dans le corps, fumait tranquillement, sûr de sa fin imminente. Le peintre voyait s'approcher la porte étroite sans angoisse et il a dit : « Je voudrais pouvoir partir ainsi… » Il est mort peu après dans les bras de son frère.

Dans les bras de mon mari. Aurait-il pu en être autrement ? pense Johanna.

Parfois Johanna ne dit même pas à son frère ce qu'elle pense.

Elle a du mal à imaginer son beau-frère mort. Il y a seulement deux mois elle a préparé un déjeuner pour lui et pour le comte de Toulouse-Lautrec, encore un exotique qui vit du lundi au vendredi dans un couvent et les samedi et dimanche dans un bordel, et qui a appris à tout tourner en dérision, à commencer par ses terribles déficiences physiques.

Lautrec et Van Gogh étaient devenus très proches quatre ans plus tôt à l'atelier Cormon, peu après que le Conseil des professeurs d'Anvers eut décrété à l'unanimité que Van Gogh devait retourner dans le cours pour débutants en raison de ses difficultés en dessin.

Johanna a préparé ce jour-là des petits pâtés à la viande et des crêpes à la confiture d'orange pour lesquelles Van Gogh se serait damné.

Le grand moment de son beau-frère pendant les quatre jours qu'il a passés dans l'appartement de Pigalle.

Il fallait voir comme ils riaient tous quand Lautrec faisait des pirouettes et exagérait ses difficultés pour monter les quatre étages. Il braillait ce jour-là en racontant des anecdotes sur l'exposition des Vingtistes[1] qui avait eu lieu à Bruxelles.

Johanna était au courant de ce désastre, mais elle n'en connaissait pas les détails. À Bruxelles, Henry de

1. Les Vingtistes, ou les XX, étaient un groupe de peintres, dessinateurs et sculpteurs belges créé à Bruxelles en 1883. Ils organisaient chaque année des expositions collectives et invitaient d'autres artistes hors du groupe. Parmi eux Camille Pissarro, Claude Monet, Georges Seurat, Paul Gauguin, Paul Cézanne, Toulouse-Lautrec. En février 1890 Van Gogh est invité à y participer. Il y vend *La Vigne rouge* achetée par Anna Boch, la sœur du poète Eugène Boch. Un des deux tableaux vendus de son vivant.

Groux[1] avait voulu atténuer par deux ou trois phrases spirituelles l'intensité de la peinture qui le rendait fou d'envie.

Apparemment ce n'était pas devant la paire de tournesols mais devant le verger en fleurs avec les peupliers qui traversent la toile qu'Henry de Groux avait soupiré avec mépris. Lautrec, certainement incontrôlable sous l'effet des nombreux liquides qu'il absorbait nuit et jour, l'avait provoqué en duel sur place.

Un scandale s'en était suivi.

Les critiques se demandaient s'il ne s'agissait pas d'une mise en scène destinée à mobiliser la presse, mais l'atmosphère était devenue de plus en plus lourde, les organisateurs avaient dû rappeler Lautrec à l'ordre et faire sortir de Groux de la salle. Les esprits s'étaient alors calmés peu à peu.

> Lautrec reproduisait dans cette salle à manger les coups de talon qu'il avait donnés pour réclamer des témoins, en pleine exposition, et faisait des gestes bizarres pour imiter l'expression épouvantée d'Henry de Groux.
> Van Gogh riait comme un enfant.
> Je crois que tout cela s'est passé le deuxième des quatre seuls jours que j'ai partagés avec mon beau-frère. Il devait rester une semaine avec nous à Paris, mais une espèce d'inquiétude et d'urgence l'a traversé et l'a fait quitter cette maison trois jours plus tôt que prévu.
> Le style des Van Gogh.

---

1. Henry de Groux est né à Bruxelles en 1866. Aucune de ses œuvres n'est restée inoubliable. Il est mort à Marseille en 1930 dans un hôpital psychiatrique.

Après avoir fait les lits, lavé la vaisselle du petit déjeuner et mis de l'ordre, Johanna peut s'asseoir et écrire.

Le deuil de Théo, le coup de feu, l'agonie et l'enterrement de Van Gogh accaparent toute son attention et lui font perdre toute notion du temps.

Je ne me suis même pas rendu compte que mon fils a eu huit mois cette semaine.
Quand il est né j'ai compris clairement le sens de l'expression *donner le jour.* Je ne me souviens de rien de semblable.
C'était comme si je me trouvais un pas derrière moi et que je pouvais être le témoin privilégié de la scène de sa naissance, qui se passait dans mon propre corps et en même temps loin de lui. Je ne sais comment l'expliquer.
Sa naissance a laissé la chambre dans la pénombre pendant un temps interminable et Vincent est sorti enveloppé comme dans un éclair d'eau lumineuse qu'il a bue d'un coup en respirant profondément pour la première fois.
Tendu, épuisé, en pleurs, je l'ai tenu longtemps sur ma poitrine jusqu'à ce qu'il puisse plus tard trouver le calme, beaucoup plus tard.

Johanna se rappelle que les quatre plantes qui se trouvaient autour de son lit ce soir-là – deux fougères, un ficus et un magnolia – étaient affaissées et presque fanées après la naissance.

2

Johanna écrit.

Théo ne dort pas : il ouvre toutes les nuits la porte de l'enfer.

C'est le premier dimanche de septembre 1890 et Johanna Van Gogh-Bonger prend un petit bateau à vapeur pour traverser la Seine et se rendre chez M. B., la guérisseuse la plus réputée de Montparnasse. Elle doit lui remettre des livres de Multatuli et ressent le besoin urgent d'une séance de massage thaïlandais.

Johanna a toujours considéré comme un refuge l'austérité japonaise qui imprègne cette maison de deux étages, avec ses bâtonnets de myrrhe toujours allumés qui dissipent les vilaines odeurs de la ville.

Sans presque lui adresser la parole, M. B. la fait asseoir le dos droit, elle trempe les mains dans de l'huile de chanvre et s'applique à appuyer sur les muscles noués au-dessous des épaules.

Johanna écoute M. B. qui tout en lui massant le cou émet une sorte de murmure plaintif et monocorde près de son oreille. Jusqu'au moment où elle lui enfonce les doigts de part et d'autre de la colonne vertébrale et se met à débiter des phrases d'abord indéchiffrables, difficiles à saisir. Quand ensuite elle accentue la pression du massage, les mots deviennent de plus en plus audibles et plus clairs à la fois. D'une voix pénétrée qui ressemble de plus en plus à celle de Théo ces derniers temps elle dit : « Ce n'est pas possible, Jo, n'insiste pas, ce n'est pas possible. »

Étendue sur le lit de massage, Johanna sent presque la présence physique de son mari et ne parvient pas à se convaincre de ce qui se passe : la voix de Théo semble nichée à la racine du nœud musculaire.

M. B. poursuit son travail encore un moment, en silence.

Nous ne dirions pas que Johanna pleure : elle laisse couler des anciennes larmes qu'elle avait oublié de verser par le passé et qui la laissent exposée à tout ce que cette femme peut lui dire dorénavant. M. B. lui demande alors de retourner cinq cartes de tarot. L'une après l'autre.

« Si vous faites attention, le cocher ne commet pas d'erreurs », dit-elle d'un ton sentencieux.

Elle ajoute que Johanna doit se préparer pour une bataille de deux ou trois ans. S'acharner à mettre son fils au premier rang de ses priorités dans la vie car des temps de dur labeur approchent.

Elle lui demande ensuite de couper les cartes une fois de plus et quand elle en retourne une au-dessus des autres, M. B. reste silencieuse.

Elle finit par dire : « Vous devrez accompagner Théo jusqu'au bord du marécage, mais pour l'aider vous devrez rester sur la terre ferme. Je vous en supplie, ne vous noyez pas avec lui. » Et elle lui prend la main.

Johanna s'enfuit, décidée à ne jamais revoir cette femme.

Le retour est pénible. C'est dimanche après-midi, les petits vapeurs de la Seine dessinent des creux dans l'eau et semblent s'enfoncer sous le poids des passagers.

Elle traverse les rues de Paris comme égarée, elle avance dans Montmartre environnée de campagnards endimanchés et se rappelle un dîner avec Van Gogh dans l'appartement de Pigalle, deux mois auparavant.

Ce soir-là, le peintre avait déclaré un peu abruptement : « Une fille de ferme est, à mon avis, plus belle qu'une dame ; qu'elle mette une toilette de dame et tout ce qu'il y a de vrai en elle disparaît. »

Annie l'avait regardé épouvantée.

« Un paysan est plus beau parmi les champs dans son costume de futaine que lorsqu'il se rend le dimanche à l'église affublé comme un monsieur. Un tableau de paysans ne doit jamais être parfumé », avait conclu Van Gogh en quittant son assiette des yeux pour chercher la toile pendue dans la salle à manger à côté de la commode.

Ils avaient tous regardé le tableau : un couple de paysans étendus au soleil dans un champ récemment moissonné qu'il avait peint peu avant à Saint-Rémy-de-Provence[1].

En rentrant chez elle Johanna se souvient du ton condescendant de Van Gogh envers Théo, comme s'il lui dictait les phrases appropriées pour placer cette œuvre sur le marché. Alors pourquoi n'a-t-il pas pu vendre ses propres tableaux ? se demande Johanna qui marche un peu étourdie en ce dernier dimanche d'été à Paris.

Elle connaît le prestige que son beau-frère a eu en son temps lorsqu'il était marchand à la galerie Goupil de La Haye. On raconte que Van Gogh était chargé d'accompagner dans ses visites le roi Guillaume III, un habitué des lieux.

Johanna tourne en direction de Pigalle, un peu lasse elle aussi, à ce stade, de tant de paysans avec leurs

---

1. Il s'agit de *La Sieste*, actuellement au musée d'Orsay à Paris.

chemises blanches du dimanche, leurs épouses avec leurs bonnets blancs et une foule d'enfants affolés par les méfaits de quelques voleurs entraînés dans les faubourgs de Londres.

Un tourbillon de gens et les voleurs à la tire qui emportent comme si de rien n'était les portefeuilles de cette multitude naïve.

Lundi, à la dernière heure.

Voilà dix-sept ans que Johanna Van Gogh-Bonger écrit son journal. Elle l'élague une fois par an comme les vieux arbres.

Ce sont des jours tristes. Revoir avec détachement ce que sur le moment elle a cru essentiel est à la fois un déchirement et un soulagement.

> Des marches intenses avant ou après mes cours de littérature anglaise à Utrecht réduites à sept ou huit paragraphes.
> Le voyage à Londres, qui a changé ma vie, rien que vingt ou trente pages.
> Des nuits entières où je découvrais avec Théo le feu intense de nos corps, ensemble, se sont reflétées dans des écrits timides et fragmentaires.
> Écrire et élaguer sont ensuite des exercices de tempérance.
> Tout se rappelle et tout disparaît en même temps.

C'est un moment sombre et difficile pour Théo, qui traverse, inaccessible, de grands déserts de quiétude et de vertige. Johanna le voit passer des jours entiers au lit, d'où il émerge saisi de crises de maniaquerie insupportables.

Depuis sa chambre elle l'entend maintenant tenter de convaincre Albert Aurier, le critique du *Mercure de France*, d'écrire le plus rapidement possible une biographie de

Van Gogh. Il l'imprimera dans le catalogue d'une grande exposition rétrospective qu'il compte organiser.

Johanna entend de son lit les inflexions plus désespérées que convaincantes de la voix de son mari.

Heureusement, Vincent a cessé de pleurer.

Johanna écrit.

> La nuit il a une toux qui m'inquiète, surtout si je pense à l'hiver qui approche.
> Et je ne peux pas partager cette peur avec Théo car il reste aveuglé toute la journée par le souvenir de son frère mort.

L'idée que Johanna et son frère André ont eue lors d'un déjeuner l'avant-dernier mardi, et qui a tourné court à la suite du suicide de Van Gogh, a commencé à se concrétiser la veille pendant le repas de famille.

Avant le dessert, André et Annie ont annoncé leur projet : louer l'appartement de Théo et Johanna au quatrième étage afin que ces derniers puissent s'installer dans celui du rez-de-chaussée.

Tous ont paru d'accord ; outre que cela évitera de monter les quatre étages avec le jeune Vincent, qui devient de plus en plus lourd, la cour et le petit jardin seront essentiels pour l'enfant quand il commencera à faire ses premiers pas.

On sent qu'Annie approuve silencieusement la décision de son mari, bien qu'elle ne trouve pas du tout pittoresque l'idée de vivre environnée de bordels pour réduire les dépenses. De surcroît, André, légèrement déboussolé après deux verres de cabernet, dévoile les bonnes adresses du quartier réservées aux connaisseurs comme s'il voulait s'en vanter devant sa propre épouse.

« C'est au Moulin de la Galette, tout à côté, qu'a débuté la Goulue qu'a peinte Lautrec », finit-il par lui dire.

Théo s'est absenté dans son abîme personnel. Johanna le regarde en vain pour demander son aide, orienter la conversation vers un autre sujet, parce qu'il est évident qu'Annie est contrariée.

André, qui prend goût à son récit, va encore plus loin par pure maladresse. Jusqu'à mettre aussi sa sœur un peu mal à l'aise en parlant de la nouvelle carte du péché à Montmartre et l'agonie certaine du bordel l'Élysée, à quelques mètres de la maison de Pigalle.

Tout le quartier connaît l'histoire. En une seule nuit de la semaine précédente, l'Élysée Montmartre a perdu ses principales attractions. La Goulue, une femme immense à l'appétit insatiable qui mange toute la nuit encouragée par le public, et le contorsionniste Valentin le Désossé, ainsi que les filles les plus effrontées de l'endroit, sont partis travailler dans le nouvel établissement à la mode, le Moulin Rouge.

« Si l'Élysée ferme, le tableau que Renoir en a peint prendra davantage de valeur », dit alors Johanna sur un ton d'une sécheresse délibérée pour changer définitivement de conversation.

Elle regarde Théo qui est ailleurs et elle se lève pour apporter les desserts et vérifier que son fils continue à bien dormir.

Plus tard elle écrit.

> Nous n'avons pas parlé de Van Gogh, dont la présence planait pourtant sur le dîner. Les premiers jours il est inévitable de penser à son corps qui se détériore deux mètres sous terre dans le cimetière d'Auvers.
> Théo n'a presque rien dit de toute la soirée. Il s'est ensuite endormi profondément, bien avant que j'ôte mon corset de gaze orange qu'il a toujours aimé.

Il y a des mois que l'on ne joue plus avec les corps dans cette maison.

Il me semble qu'un siècle s'est écoulé depuis l'époque où, avec l'énorme ventre de la grossesse, nous vivions pour faire l'amour. Toute la journée Théo et moi ne pensions qu'à une chose : le moment où nous retrouverions les bras chaleureux du soir.

Il est bientôt minuit et le petit Vincent pleure de toutes ses forces dans son berceau de chêne, il crie pour réclamer son repas. Johanna le regarde ; elle non plus n'aime pas que son fils doive grandir dans un quartier en évitant dès midi ivrognes et prostituées.

L'automne arrive avec un certain retard. Aujourd'hui la pluie n'est pas venue comme un soulagement sur le pavé et les platanes, elle est tombée froide et violente.

La mère de Johanna a fait un geste surprenant en lui envoyant d'Amsterdam un paquet de bonnets, cache-cols et manteaux de laine pour Vincent.

Dans sa lettre elle demande des nouvelles de la santé de Théo.

Elle doit savoir ou deviner ce qui se passe dans la maison. *C'est une manière de me dire que je peux compter sur elle*, pense Johanna, et elle sait que la tension qui se dessine entre son cou et sa gorge ressemble à un sanglot contenu.

Johanna a obtenu quelques exemplaires de l'article que Maurice Beaubourg a publié dans le numéro de septembre de *La Revue indépendante* :

Il ne faut pas voir un tableau unique de M. Vincent Van Gogh, il faut les voir tous pour comprendre cette nature complexe et agitée, ce tempérament d'illuminé, épris à la fois de Soleil et de Bonté universelle, rêvant concurremment d'organisations phalanstériennes et d'orgies de tons surchauffés, dorés, où toute la création s'incendierait.

C'est l'unique mention dans la presse de la mort de son beau-frère.

Johanna l'archive dans le dossier avec les quatre autres articles qui ont fait allusion, en bien ou en mal, à la foule de tableaux que Johanna répartit comme elle peut dans l'appartement de Pigalle.

Elle croit savoir comment son beau-frère aurait réagi à la note de Beaubourg : avec une gêne irritée devant les éloges, une autocritique féroce pour tout ce qu'il devait encore améliorer[1].

Ces excès dramatiques de modestie.

Pour la première fois je pense avec enthousiasme au déménagement et à la cour qui appartiendra à Vincent. Mais tout cela ne fait peut-être que masquer ce qui en réalité paraîtrait plus logique : retourner une bonne fois pour toutes à Utrecht ou à Amsterdam.

---

1. On n'enregistre que deux opinions favorables sur l'œuvre de Van Gogh du vivant du peintre. En 1889, dans un reportage réalisé pour la revue *De Portefeuille* d'Amsterdam, le peintre Joseph Jacob Isaacson le définit comme *un pionnier unique qui lutte seul dans la nuit profonde, et la postérité devrait retenir son nom — Vincent.* Inexplicablement, la phrase offensa Van Gogh qui refusa pendant quelque temps de parler à Isaacson.

L'année suivante, en janvier 1890, dans un article du *Mercure de France* intitulé « Les isolés », le poète Albert Aurier publia la première critique élogieuse sur l'œuvre de Van Gogh. L'artiste se fâcha de nouveau et écrivit même une réponse à l'auteur en expliquant tout ce qui lui restait encore à apprendre dans le domaine de la peinture. Il le regretta ensuite, lui présenta ses excuses de différentes manières et lui envoya par l'intermédiaire de Théo un tableau de la période d'Arles.

L'idée se fait plus évidente le soir quand elle trouve parmi ses vieux papiers un poème du Chinois Wang Wei, écrit il y a plus de mille ans, qu'elle avait traduit de l'anglais au British Museum.

Personne n'a jamais parlé comme lui de la nostalgie de vivre loin de son foyer : *Voyageur, toi qui viens de mon pays natal, tu dois savoir beaucoup de choses : dis-moi, quand tu es parti, le cerisier devant ma fenêtre avait-il fleuri ?*

Cet après-midi Johanna a envie de faire ses valises.

L'idée peut paraître absurde, mais depuis la mort de Van Gogh Johanna a l'impression que les toiles se multiplient. Elles surgissent de toutes parts. Sous le lit, au-dessus des armoires, sur les rideaux brodés à la main, derrière le divan, en désordre dans la vitrine, roulées dans les coins de la bibliothèque en ébène.

Il doit y avoir environ cinq cents tableaux, au grand désespoir de Johanna et de Zuleica qui l'aide à tenir cette maison de fous.

J'écris entourée du vertige des couleurs.

Les vergers en fleurs, dans la chambre ; dans la salle à manger, au-dessus de la cheminée, devant mes yeux en ce moment, les mangeurs de pommes de terre ; dans le petit salon, le grand paysage d'Arles et la nuit étoilée dominant le Rhône.

Chacun jette des éclairs dans l'appartement.

On les dirait peints par des personnes différentes.

Au cours de ces quatre uniques journées que Johanna a partagées avec son beau-frère lors de sa visite, le peintre s'est arrêté un matin devant *Les Mangeurs de pommes de terre.*

Il était là depuis trois jours, sans toucher un pinceau, et tous comprenaient désormais que rien d'autre que le travail ne calmait son esprit.

Il est resté ce matin-là devant les pauvres qui mangent des pommes de terre comme s'il s'agissait d'un tableau inconnu, mais en même temps il reconnaissait son ancien registre dans les couleurs et les motifs. Il regardait comme quelqu'un qui retrouve la mémoire. Van Gogh a dit ensuite qu'à cause de cette étude, il s'était disputé avec son ami Anthon van Rappard.

Johanna connaissait l'histoire. Certains détails bâclés dans les mains avaient retenu l'attention de van Rappard qui en avait oublié la transcendance du tableau : le climat, l'atmosphère intense de ces visages creusés par la résignation. La discussion avait été tellement virulente que les amis ne s'étaient plus revus.

Ce matin-là, deux mois avant le coup de feu fatal, c'est presque en criant que Van Gogh a demandé à sa belle-sœur si elle voyait dans ces visages le malheur ou la dignité.

La dignité, naturellement, a répondu Johanna sans vraiment réfléchir et surtout pour lui faire plaisir. Même si plus tard, en regardant mieux, elle a su qu'elle avait dit la vérité.

Van Gogh l'avait peint cinq ans plus tôt. Un siècle plus tôt.

À vingt-sept ans, Albert Aurier date un peu comme poète, mais en tant que critique d'art il mise sur la nouveauté : il est le principal défenseur des Vingtistes, Lautrec, Van Gogh et Gauguin en tête, qui en 1890 peignent comme s'il s'agissait déjà du XXe siècle.

Le critique du *Mercure de France*, qui se dit le découvreur de Van Gogh à Paris, n'abandonne jamais son allure étudiée de poète symboliste: costume sombre, cheveux noirs, mince collier de barbe sur son visage anguleux.

À Pigalle cet après-midi-là, il s'attarde devant *Les Mangeurs de pommes de terre.*

« Avec quel génie il a montré la faim de ces gens », dit-il, et il tripote continuellement son monocle qui va sans cesse de son veston à ses yeux.

Avec ses longs cheveux qui n'ont jamais vu un peigne, Aurier continue de répéter cette phrase devant le tableau comme si c'était chaque fois une découverte.

Il raconte qu'il a entendu le matin à la rédaction de sa revue que l'attitude des grévistes des mines de charbon du Borinage est très ferme[1].

Johanna précise: « *L'Écho de Paris* employait hier l'adjectif "menaçante". »

Théo, Johanna et Aurier savent maintenant, mais ils ne le disent pas, que ce sont les chemins que parcourait Van Gogh douze ans auparavant.

C'étaient ses années d'évangéliste illuminé où le peintre s'enfonçait dans la terre des mines, mangeait et s'habillait comme les mineurs, et où les grands de l'Église le regardaient fanfarons en ajustant leur jaquette pour demander, non sans ironie: « Il se prend pour Jésus-Christ ? »

À Paris, la grève des cochers, bien qu'ayant obtenu quelques satisfactions, a changé de mode d'action: la protestation s'est concentrée sur la circulation de nuit sans éclairage. Ce qui fait de chaque fiacre un danger.

---

1. En 1890, dans le Borinage, la grève a rassemblé dix-huit mille mineurs. De là est parti un mouvement général de contestation qui a touché plusieurs pays d'Europe.

C'est samedi après-midi et avant de prendre sa journée de repos Zuleica, qui connaît cinquante mots de français mais comprend tout, suggère à Johanna Van Gogh-Bonger d'aller marcher un moment. Celle-ci parcourt Montmartre et commence à en avoir assez de Paris. Là où elle voyait avant la bohème et le défi, elle trouve la décadence et l'indigence.

> Il devient évident dans les rues de cette ville que les trois piliers, les trois pattes du trépied tant vanté depuis cent ans, liberté, égalité, fraternité, sont branlants. De fait, ils commencent à ne plus s'entendre.
> Il y a de plus en plus de pauvres dans les rues.

Le bon Émile Bernard a été le meilleur ami de Van Gogh pendant les dernières années.

Lui aussi a cessé de peindre ces derniers temps et a rejoint, d'une certaine façon, l'équipe de Théo et Aurier pour projeter une grande exposition des tableaux de Van Gogh. Johanna écrit.

> Ce n'est pas facile, ils sont un peu seuls au monde.
> Je dois cultiver la patience. Théo est emprisonné dans son deuil et commet des imprudences.
> Hier il donnait des boutons à notre fils pour qu'il joue avec, comme s'il ne savait pas que Vincent met tout ce qu'il trouve à la bouche.

Théo ne peut pas prendre de distance avec l'œuvre de son frère, pas plus qu'il n'a pu mettre à son service ses compétences de marchand réputé.

Il erre inquiet parmi les toiles : il les étale sur le sol du salon. Il est stupéfait par leur extrême variété.

« Comment montrer la sérénité d'une estampe japonaise en même temps que les champs de blé de la fin ? » se lamente-t-il.

Johanna n'entend rien d'autre de son mari de toute la journée.

La longue période de deuil de Théo se prolonge ; elle préoccupe beaucoup Johanna et Zuleica, mais aussi son frère André et donc son épouse, et cela commence à être un thème récurrent chez les amis Émile Bernard et Albert Aurier.

Malgré le décès de Van Gogh, Johanna envisage de consulter le docteur Gachet[1].

Théo ne va pas bien. Il est retourné à peine quelques jours à son bureau de la galerie Goupil, où ils sont sur le point de perdre patience, et il ne prend pratiquement plus jamais l'enfant dans son berceau.

Il ne pense, obsessionnellement, qu'à une grande exposition de Van Gogh.

Il insiste aussi sur sa biographie et reste absorbé par les deux caisses qui contiennent les lettres que son frère lui a envoyées pendant quinze ans. Il les relit sans relâche, les classe dans l'ordre chronologique, comme en un rituel de séparation infiniment douloureuse.

Hier il se plaignait de ne pas pouvoir remuer le bras et la jambe gauches.

---

1. Paul Ferdinand Gachet (1828-1909), le médecin qui a accompagné Vincent Van Gogh pendant ses derniers jours, était une personnalité de la vie culturelle de l'époque. C'est lui qui a introduit l'homéopathie en France. Il a fréquenté Victor Hugo et, entre autres, les peintres Monet, Pissarro, Manet et Renoir.

Johanna n'entend plus parler de son mari de toute la journée.

3

J'écris comme on sort un pied de sous les couvertures en dormant pour se maintenir à flot au milieu de la nuit. Pour trouver le chemin du retour du sommeil.

Théo est resté trois jours au lit dont il sort comme une flèche avec quatre ou cinq toiles de son frère sous le bras pour aller voir Durand-Ruel dans ses bureaux prétentieux de galeriste à la mode.

Il revient ravagé.

Le refus de Durand-Ruel de réaliser une grande rétrospective avec quelques-uns des six cents tableaux accumulés en dix ans d'activité de son frère l'a laissé sans voix et il s'est recouché. Son épouse n'a maintenant aucune idée de quand il se relèvera.

Chaque fois que Johanna a vu Durand-Ruel, et elle l'a beaucoup vu l'année dernière pendant l'Exposition universelle, il lui a inspiré tout sauf de la confiance. Durand-Ruel a menti sans vergogne à Théo : il lui a parlé de dates, d'engagements impossibles à modifier, d'expositions organisées d'avance, et non de sa peur face à l'incandescence des tableaux de Van Gogh.

Rien de neuf.

Johanna semble comprendre mieux que Théo ce qui se trame.

Durand-Ruel est de ceux qui apprécient – il l'a confié à la moitié de la terre – les extravagances esthétiques de Van Gogh qu'il qualifie d'inquiétantes. Mais il est logique qu'il en ait peur : les impressionnistes qu'il vend si bien pourraient se sentir menacés.

« Durand-Ruel ressent avec son portefeuille », dit Johanna à Théo.

Durand-Ruel perd de son audace ; il vieillit.
Avec des gens tels que lui et Gauguin comme alliés, Van Gogh pensait créer une communauté de la couleur.
Une résistance chromatique contre les conformismes, un refuge contre l'explosion du blanc et noir du registre photographique, tellement à la mode ces temps-ci.
Il imaginait avec eux des projets épiques : un Van Gogh utopiste, un religieux.

Théo est insupportable.

En trois occasions, après une discussion avec son mari, Johanna écrit.

Vincent se cache sous le drap et joue à disparaître du monde. Il rit beaucoup quand il écarte la couverture et découvre derrière elle mon regard qui le guette. C'est un nouvel éclat de rire, mais qui me rappelle la façon de rire de mon frère André quand il était petit.

J'apprends par les journaux la dernière démonstration allemande devant l'empereur Guillaume II : un canon construit par les aciéries Krupp qui parvient à tirer un projectile à une distance de vingt kilomètres.

J'écris, j'écris autant que je peux pour échapper à la passion des autres pour l'uniformité. Tous, ici à Paris, croient détenir dans leur manche une vérité à exporter comme si c'étaient des chemises ou des locomotives.

Tandis que le corps de Théo perd de sa présence au monde, la petite confrérie culturelle de Paris s'est divisée en ces jours d'octobre 1890 entre les pour et les contre à propos des *Chants de Maldoror*, un livre découvert vingt ans après la mort de son auteur, Isidore Ducasse, comte de Lautréamont.

Léon Bloy n'écrit jamais, il prend parti. Il révèle que l'auteur est mort dans un hospice, mais conclut que ce n'est pas assez pour recommander d'en éviter la lecture.

… les sataniques litanies des Fleurs du mal *prennent subitement, par comparaison, comme un certain air d'anodine bondieuserie*, écrit-il dans *La Plume*.

Johanna méprise le milieu littéraire de Paris. Le pire de tous à ses yeux est précisément Léon Bloy. Chacune de ses publications est une succession de sommations : il déblatère contre le vers libre, qu'il taxe d'aberration, et écrit pis que pendre d'Émile Zola aussi souvent que possible.

Il est intelligent, mais n'a pas une once de talent.

Préoccupé par les brebis qui s'échappent du troupeau littéraire, Léon Bloy s'acharnera longtemps contre elles sans pour autant demander de détruire leurs œuvres, comme certains suggèrent de faire dans l'appartement de Théo et Johanna avec celle de Van Gogh.

Difficile à croire, mais depuis plusieurs jours, à cause de la lente maladie de Théo, les pressions augmentent pour que cette œuvre soit détruite. Il en est qui s'en croient le droit et, comme dans une loge maçonnique, des membres d'une sorte de secte arrivent rue Pigalle vêtus de vêtements noirs, sûrs de leur statut social.

Des gens étranges qui attribuent à l'œuvre de Van Gogh un pouvoir supplémentaire et obscur de répandre la folie.

Ce matin d'octobre 1890, deux dames, deux sœurs très âgées à la voix nasillarde et aux sourcils froncés, font partie du cortège. Elles traînent visiblement les pieds, moins en raison de leur âge avancé que des contrariétés et des humeurs mauvaises.

Les accompagnent le fils de l'une, visiblement soumis, et un monsieur âgé qui a l'air d'un colonel. En atteignant la maison de Pigalle ils ont tous les quatre les bras raides et les poings un peu crispés par excès de bonne éducation.

Il est évident qu'aucun d'eux ne serait en mesure de défendre individuellement ce qu'ils clament avec assurance quand ils sont ensemble.

Ils parlent de suggestions, mais ce qu'ils disent a le ton sans équivoque de la menace.

Il faut détruire tous ces excès de violets et de cobalts, de vert émeraude et d'orange exotique. Ils ont provoqué, prétendent-ils, la balle dans la poitrine de Van Gogh et la paralysie qui a frappé Théo ces jours-ci.

Johanna n'en parle pas à son mari parce que cela ne ferait qu'aggraver son malheur.

C'est aussi une façon de ne pas accorder de crédit aux intrus. Bien qu'elle ne parvienne pas elle non plus à savoir qui sont ceux qui se cachent derrière ce complot, peut-être encouragés par des commerçants qui refusent de nouvelles formes d'art ou des religieux qui voient dans la beauté apparaître et se répandre les pulsions du diable.

Ce qui est certain c'est qu'ils demandent d'un air suffisant à Johanna Van Gogh-Bonger, dans sa propre maison, d'effacer ces tableaux de la surface de la terre.

Que je mette le feu, exigent-ils, ici, dans mon appartement de la rue Pigalle, numéro 8, à Paris.
Tandis que mon retour en Hollande prend forme en silence, je leur dis que oui, que je vais brûler les toiles, la prochaine nuit de pleine lune.
Pour qu'ils me laissent tranquille.

C'est étrange ce qui se passe entre Johanna et Théo derrière les portes closes de leur appartement de Pigalle. Ils se trouvent dans la même pièce à la même table et pourtant loin l'un de l'autre.

Comme si, amarrés à un même quai, ils regardaient chacun d'un côté différent du fleuve qui coule à leurs pieds.

Cette distance opaque qui nous sépare de ceux qui nous sont le plus proches est désespérante.
Théo, résolu à marcher vers le passé, est resté sur ce quai et ne remarque même pas notre fils qui nous pousse en avant et joue ici, près de moi, avec une pelote de laine.
En ce moment même, surmontant la tristesse de son père, les cris de Vincent emplissent la maison de joie.

Ces jours-ci Théo passe une grande partie de son temps dans son bureau à relire les lettres de Van Gogh. Sans se rendre compte que les ruines sont encore fumantes, que ce n'est pas encore le moment.

Quand il sort de son enfermement, Théo insiste sur la biographie et l'exposition de son frère. N'importe qui pourrait voir derrière tant d'activité une obsession maladive et les signes d'une culpabilité.

Il est apparu tout à l'heure dans la salle à manger pour lire à sa femme un texte sirupeux d'Aurier.

Van Gogh peignait jusqu'à devenir muet, jusqu'à comprendre chaque auréole vivante de couleur, définitive, par-delà la fugacité du paysage changeant de la lumière. Il peignait contre le temps, car il n'y a pas de meilleure phrase qu'un coup féroce de jaunes ou d'orange ou de jais ou de vermillons pour décrire ce soir qui pourrait être le dernier. Van Gogh regardait, fixait et prenait congé dans chaque tableau.

Johanna ne peut pas lui dire qu'elle trouve ces propos excessifs et ennuyeux et elle se retire dans sa chambre pour écrire.

> Dans son texte, Aurier parle davantage de lui-même que de Van Gogh.
> Moi, tout ce que je sais, c'est que l'éclat de ces tableaux me réveille parfois au petit jour, bien plus que les insectes ou les oiseaux de l'aube.

André Bonger est très inquiet lui aussi pour la santé de son meilleur ami.

Hier, pendant le déjeuner du mardi, il a avoué ouvertement à Johanna qu'il trouve Théo beaucoup plus mal qu'à l'époque où, quatre ans auparavant, il fallait aller en traînant les pieds voir Mme Van Gogh et lui cacher que ses fils ne pouvaient vivre ni ensemble ni séparés.

C'est alors que Johanna était apparue dans l'histoire de Théo.

André, justement, les avait présentés un samedi matin où les deux amis revenaient d'une longue nuit d'absinthe et de bamboche encore inachevée. Ils avaient essayé de remonter le moral de Théo dont le frère avait quitté la maison cette nuit-là, en pleine crise de fureur.

Théo et André déjeunaient presque tous les jours dans un petit restaurant, Chez madame Bataille, à quelques pas de l'appartement des frères Van Gogh.

Ce midi-là Johanna s'était mise au diapason de leur humour grinçant et viril, surtout pour séduire un peu ce garçon qui était déjà, depuis son adolescence, le meilleur ami de son frère.

André est maintenant convaincu que Johanna pourra faire quelque chose pour guérir la tristesse de Théo comme elle l'a fait autrefois.

Or, Johanna sent un abîme entre la vitalité de l'enfant et l'impénétrabilité de son mari ; dans son appartement de Pigalle, passer d'une pièce à l'autre est comme quitter l'été pour entrer dans l'hiver.

« Pas possible non plus de croire à la science, pas possible non plus de croire à la science », dit ce matin Théo Van Gogh hors de lui en lançant en l'air une revue qui atterrit contre *Le Café de nuit* que Van Gogh a peint à Arles, une de ses nombreuses versions appuyée contre la bibliothèque.

Ce qui a mis Théo en colère est une mise en garde adressée aux amateurs de papillons ; on en a découvert plus d'un exemplaire retouchés avec une véritable maestria par le pinceau d'un faussaire.

Tout ce soin pour ensuite les mettre sur le marché des collectionneurs à un prix plus élevé sous le nom de *Nouvelle variété*[1].

Théo en est resté obsédé pendant des heures jusqu'à ce que, finalement, il se couche épuisé.

La réaction dramatique et excessive de Théo justifie l'attitude que Johanna a adoptée d'instinct la semaine passée. Comment lui raconter qu'au marché on lui a refilé un faux billet de cinquante francs ? Johanna n'a rien dit

1. En août 1890, l'article dénonçant la fraude a paru sous la signature de Frank Boeabard dans *Blackwood's Magazine.*

pour ne pas alimenter sa conviction que le monde est contre lui.

Elle l'a déposé elle-même à la Banque de France pour qu'il y ait une enquête.

C'était un papier bien gravé, une bonne imitation.
Si on le regardait attentivement l'encre paraissait plus foncée, et au toucher on sentait que le papier était légèrement plus épais. Mais c'était un travail impeccable.
Les visites de la secte religieuse, les faux billets. C'est horrible de devoir commencer à cacher des choses à mon mari.

Ce n'est pas que Johanna réclame que Théo s'occupe de tâches domestiques : acheter du charbon, fixer des planches dans la chambre de Vincent. Elle ne lui demande que de retourner travailler à la galerie Goupil, sinon il sera licencié.

« J'ai écrit à mon père hier en lui demandant de l'argent », annonce Johanna pendant le dîner.

Théo écoute sans le moindre sursaut d'orgueil.

Dimanche soir.
Ouvrir mon cahier a fait cesser la pluie.
Parfois, quand Vincent pleure dans son berceau, que j'ai mis des oignons à revenir dans la poêle, que Théo se borne à accumuler ses peines couché sur son lit et que la maison reste en désordre depuis deux jours, je regarde, posé sur un fauteuil devant la garde-robe, le vol solitaire d'un oiseau au-dessus d'un champ de blé avec des petites fleurs rouges fouettées par le vent[1].

1. Le tableau est intitulé *Le Champ de blé*, 1887, Van Gogh Museum, Amsterdam.

Je crois que Van Gogh l'a peint à Asnières ; il avait découvert Hiroshige et Hokusai et s'efforçait tout le temps de regarder comme un artiste japonais.
Ce tableau exerce sur moi une influence silencieuse.

Johanna appuierait la décision de son mari de sauvegarder l'image de son frère.

Elle l'aiderait encore davantage s'il n'y avait pas une douleur imprécise au creux de son estomac qui lui indique que ce n'est pas le bon moment. Que cette urgence chez Théo ne le mène nulle part.

Le soir, Johanna écrit.

Les dernières œuvres doivent atteindre leur aspect inévitable, définitif. Il faut une stratégie, de la patience avec elles, un feu lent qui délimite leur vérité.
Arriverai-je un jour à dire tout cela à Théo ? M'écoutera-t-il ?
Il disait ce matin qu'il ne sentait plus ses jambes à partir des genoux et se plaignait d'une douleur intense entre les omoplates comme si on y avait planté un poignard.
Il perd la tête pendant des heures.

Les poussées d'activité de Théo suivies de jours entiers où il ne quitte pas son lit rendent la situation insupportable.

Hier soir il a couru au Tambourin, un minable cabaret du boulevard de Clichy où Toulouse-Lautrec a loué une chambre.

À son retour, il raconte à sa femme, comme si c'était la chose la plus normale du monde, qu'il a longuement bavardé avec l'Italienne Agostina Segatori, la mère maquerelle de plusieurs filles du Tambourin.

Il y a deux ans, Van Gogh et ses amis, par provocation, ont exposé leurs tableaux dans ce bordel, pour s'amuser.

Par la suite, Théo n'avait vu dans ce geste qu'une façon frivole et infantile de s'opposer aux tensions du marché de l'art. Une bêtise de sauvageons mal élevés.

Johanna ne peut pas croire que Théo veuille maintenant y présenter une rétrospective de l'œuvre de son frère[1]. Elle ne lui parle pas pendant deux jours, mais Théo n'admet pas qu'il a perdu la tête.

Comme pendant les jours qui avaient suivi la naissance de Vincent, Wilhelmina, la sœur cadette des Van Gogh, fait une apparition silencieuse à Montmartre. Sait-elle que c'est le bon moment ?

Elle arrive avec sa drôle de démarche, un peu dégingandée, pas très féminine, quelques kilos de plus autour de la taille et la dernière édition du texte de Poullain de La Barre, *De l'égalité des deux sexes.* La présentation du livre est quelque peu scandaleuse : *Le premier ouvrage féministe axé explicitement sur l'instauration de l'égalité sexuelle.*

Wil est aussi excentrique que ses frères. Mais pour Johanna c'est la meilleure de la famille Van Gogh. Sans l'arrogance d'Elisabeth l'aînée ni la condescendance d'Anne, ni les attitudes autoritaires de « la dame aux yeux de glace ».

---

1. Théo cherchait peut-être l'impossible, retrouver le passé. En 1887, au Tambourin, Van Gogh, Bernard, Toulouse-Lautrec et Gauguin avaient exposé leurs toiles et se désignaient avec une certaine ironie comme « les peintres du petit boulevard ». Ils s'opposaient ainsi à Monet, Renoir et Degas qui exposaient dans la galerie où travaillait Théo, sur le vaste boulevard Montmartre, et qu'ils appelaient « les peintres du grand boulevard ».

L'aventure a pris fin quand Van Gogh et le souteneur de la Segatori en sont venus aux mains.

Elle a eu l'élégance de dire seulement qu'elle voulait mieux connaître son neveu, mais quelqu'un a dû lui parler de la situation et du mauvais état de Théo.
C'est pour cela qu'elle se met de nouveau à la disposition de cette maison qui perd le nord.
Elle me manquait.

L'arrivée de Wil donne un nouvel élan à Johanna. Accompagnée par elle et en cachette de Théo elle prend rendez-vous avec le docteur Gachet dans son cabinet parisien du 78, faubourg Saint-Denis pour organiser une consultation.

Johanna et le docteur Gachet, qui vient de soutenir à l'université de Montpellier une thèse sur la mélancolie, se mettent d'accord sur une rencontre avec Théo à Auvers.

Dans la soirée du 4 octobre 1890, la célébration de son vingt-huitième anniversaire – une tourte et quelques bières en compagnie de Théo, Wil, son frère André et Anne – lui donne l'occasion de convaincre son mari.

Sous prétexte d'aller déposer des fleurs sur la tombe de Van Gogh et de la nécessité de faire prendre l'air à Vincent, ils décident d'aller le dimanche à Auvers. Là, Théo pourra bavarder avec le docteur Gachet en prenant tout son temps, loin des urgences de la ville.

Le dimanche, Wil décide de rester à Paris auprès de son neveu qui s'est réveillé avec une toux désagréable et persistante. Quand Johanna et Théo arrivent à la gare d'Auvers et que le train s'arrête, il leur suffit de se regarder pour savoir ce dont l'autre se souvient : de la rencontre avec Van Gogh au même endroit quelques mois plus tôt. La dernière fois qu'ils l'ont vu vivant.

Le peintre était venu les attendre à la gare avec un nid d'oiseau dans les mains. Son prénom, le tableau des amandiers en fleurs et le nid avaient été finalement les seuls cadeaux que Vincent Van Gogh avait pu offrir de son vivant à son neveu.

Johanna voudrait aller directement de la gare chez le docteur Gachet, mais Théo décide de passer d'abord, rapidement, en témoignage de reconnaissance, à l'auberge de la famille Ravoux, dernier refuge de son frère.

Dès qu'ils entrent, Johanna remarque un geste de contrariété chez son mari : une partie de billard se joue sur la table en ivoire qui a porté la dépouille de Van Gogh. Sans savoir que sur le tapis vert ils troublent la solennité de la mort, deux gaillards notent les carambolages en silence.

Les Ravoux font humblement tout ce qui est en leur pouvoir pour transformer le déjeuner en moment agréable. Théo veut savoir si des œuvres de son frère sont restées sur place. Le propriétaire regarde sa femme, respire profondément et dit qu'en dehors du portrait de sa fille presque tous les tableaux ont fini chez le docteur.

Mis en confiance, les Ravoux reconnaissent qu'ils ont été frappés par le désir et la hâte de Gachet et son fils de s'emparer, après la mort de Van Gogh, de la plus grande quantité possible de ses œuvres.

« Emporte-la ! Emporte-la ! » répétait le docteur pendant qu'ils roulaient les toiles.

À la fin, complices, ils racontent à Johanna et Théo que l'histoire est restée dans la famille comme un code. Désormais, quand les Ravoux doivent effectuer un travail urgent, ils s'encouragent mutuellement en se disant les mots de Gachet : « Emporte-la ! Emporte-la ! »

De toutes les coquettes villas d'Auvers-sur-Oise, la plus remarquable semble être celle du docteur Gachet, avec une grande terrasse qui domine la vallée, huit chats et dix chiens, des poules, des lapins et des colombes qui surgissent à l'improviste dans chaque cour.

D'un seul coup d'œil Johanna remarque les changements survenus dans la maison où elle est venue deux mois auparavant: les tableaux de Van Gogh ont gagné de la place sur les murs les plus stratégiques, aux dépens de ceux de Pissarro ou de Renoir. Malgré les malveillances villageoises, Johanna se rend compte que le *Emporte-la! Emporte-la!* du docteur et peintre amateur n'était pas seulement un signe de cupidité, mais aussi un véritable élan vers la peinture de Van Gogh.

C'est pour ainsi dire un des premiers indices que Johanna relève, en dehors du cercle de Théo, Aurier, Bernard et quelques rares autres, de la valeur réelle des tableaux de son beau-frère.

Dans l'après-midi le docteur Gachet et Théo s'enferment dans le bureau du médecin.

Quand vers le soir arrive le moment d'aller au cimetière, Théo avoue avoir mal à la tête; ses jambes sont engourdies et il ne se sent vraiment pas la force d'effectuer sa première visite à la tombe de Van Gogh. Johanna réprime en partie son indignation. Elle profitera de l'occasion pour parler avec le docteur Gachet qui pour la première fois de la journée ne trouve pas ses mots. Johanna s'aperçoit finalement de la confusion des médecins lorsqu'ils ne parviennent pas à regrouper diverses affections sous un même nom. Dans le train du retour elle écrit.

> Plusieurs signes de l'automne dans les arbres qui bordent la voie.

Quand nous sommes passés devant l'église d'Auvers, je me suis souvenue du tableau qui la représente et qui est accroché avec des punaises dans le couloir qui mène à la cuisine. Sans l'éclat juvénile du dessin, ni le ciel derrière, dramatique et chargé de présages, l'église devant mes yeux semblait avoir perdu la vitalité du tableau.
Ce tableau embellissait le paysage.
J'écris dans le train qui me ramène chez moi à Pigalle. Aussi troublée qu'avant ou plus encore.
Le docteur Gachet ne peut-il ou ne veut-il pas me donner de diagnostic précis sur la santé de Théo ?

Elle croit avoir vu dans les gestes de Gachet, plus que dans les mots qu'il n'a pas prononcés, le reflet de ses propres fantasmes.

4

Wil Van Gogh est partie et Zuleica profite de sa journée de repos : de toutes les tâches quotidiennes, transporter des seaux d'eau vers le cabinet de toilette ou la cuisine est celle qui éprouve le plus Johanna.

Ce sont des gestes qui indiquent qu'il manque un homme à la maison, comme lorsqu'elle soulève une lourde branche dans la cour ou doit allumer la cuisinière. Cet homme vit emmuré et tourne le dos au présent, rien que pour se rappeler son frère mort.

Il y a tant à faire qu'elle n'a pas le temps de se sentir victime de la situation.

Aujourd'hui, alors que Théo et Albert Aurier travaillaient sur la biographie de Van Gogh, ils ont eu une altercation. Le critique du *Mercure de France* a dit qu'au moment de sa mort Van Gogh avait atteint sa plénitude artistique et a regretté à voix haute les tableaux qu'il aurait pu peindre.

Théo a perdu son sang-froid et a failli le frapper.

« Les jours qu'il n'a pas vécus, pas les tableaux qu'il n'a pas pu réaliser », s'est emporté Théo en le bousculant, menaçant.

Johanna a dû intervenir.

Elle trouve son mari plus fou que jamais.

Atmosphère bizarre de caisses et de malles dans l'immeuble de Pigalle toute cette fin de semaine. André et Annie occupent le quatrième étage, et Johanna et Théo s'installent finalement au rez-de-chaussée.

Pour Johanna et Théo ce n'est pas un vrai déménagement. Ils laissent les meubles importants et ne descendent que l'essentiel : le berceau de Vincent, des centaines de toiles de Van Gogh, le linge et la vaisselle, et les six cents lettres du peintre, relique intime pour Théo.

C'est bien entendu Johanna, accompagnée de son frère André, qui fait le plus gros du travail, avec l'aide d'Annie qui s'est chargée du petit, car Théo a déjà du mal à s'occuper de lui-même et peu lui importe un étage ou un autre du moment qu'ils emportent les lettres de son frère.

André, le meilleur ami de Théo depuis toujours, est celui qui a le plus d'autorité pour le refréner quand il est pris de délire ou de désespoir infini. Aujourd'hui, à côté de son lit, il lui a parlé longuement.

« Il y a toujours eu un lien étrange entre Théo et Van Gogh, des débordements de passion que je ne comprends pas tout à fait », dit André à sa sœur.

Le frère et la sœur Bonger sont inquiets. Johanna écrit.

> Le lent deuil de Théo, sa paralysie de plus en plus prononcée, me plongent dans une inquiétude dont je sors en m'occupant de Vincent.
>
> J'ai aussi du mal à trouver la tranquillité pour lire ou pour écrire.
>
> Et les tableaux de Van Gogh m'encouragent secrètement.

Malgré tout, Johanna ne cesse de travailler. Hier elle a rendu visite à la galerie Goupil pour calmer les esprits. Elle a demandé de la compréhension pour le chagrin de son mari et s'est entendue avec un des menuisiers pour qu'il encadre quelques toiles de Van Gogh.

Parmi les dernières elle a choisi celle du visage du docteur Gachet qui écoute, la tête inclinée[1]; celle de Marguerite Gachet, dans un jardin, à midi, entourée de fleurs de juin et comme perdue parmi elles. Elle a pris aussi deux autres toiles: un rameau d'amandier fleuri dans un verre d'eau et des champs de blé qui semblent répondre à la joie de l'absence.

Tandis que Théo imagine de grandes rétrospectives, elle s'occupe de sortir les toiles de leur réclusion.

Elle préfère savoir son mari tranquille chez eux.

Parce qu'elle sait comment l'accompagner quand il est sous ses couvertures, au fond de l'abîme, mais ne sait que faire quand il se désespère, livré à d'étranges élans, et qu'elle ne le reconnaît plus.

Il y a des moments où elle ne peut pas supporter la virulence de Théo.

Pour pouvoir rester à ses côtés ces jours-ci on ne peut que se taire.

Il lui arrive de ne presque pas dormir pendant deux ou trois jours.

---

1. En 1999 divers articles de presse ont tenté de retrouver la trace de ce portrait. L'œuvre la plus chère de l'Histoire, le *Portrait du docteur Gachet* de Vincent Van Gogh, a disparu, s'est-on dit. Après qu'un homme d'affaires japonais excentrique l'eut acquis en 1990 pour 82,5 millions de dollars, le tableau a littéralement disparu. Depuis lors, des musées prestigieux tels que le Metropolitan de New York – qui le voulait pour une exposition – ont essayé de le retrouver. Son destin est un des plus grands mystères du monde de l'art. Son sort est d'autant plus intrigant que son dernier propriétaire, Ryoei Saito, avait fait savoir qu'il désirait que le tableau soit incinéré avec lui.

Les pires moments sont ceux où il pense que le monde est contre lui. Il traverse ensuite la tourmente du calme et reste couché, immobile et absent durant des jours.
Jusqu'à la prochaine explosion.
Hier soir nous avons discuté. Je lui ai demandé ce qu'il pensait faire pour son travail à la galerie Goupil et il m'a répondu par des insultes abominables. Il exerce sur moi le pouvoir le plus élémentaire : il dit absolument tout ce qui lui passe par la tête, même ce qu'il ne pense pas, et moi je ne peux rien lui dire.
Je veux quitter Paris.

C'est mercredi à Pigalle. Tard. La fête s'est traînée une fois encore, semble-t-il, jusqu'au matin, et le petit Vincent s'est endormi. Théo se repose enfin un peu et Johanna passe en revue les tableaux qu'elle a exposés dans tout l'appartement.

Outre les cinq qui se trouvaient dans différentes pièces au quatrième, ici, les nombreuses toiles se répondent, en désordre, sur les murs du nouvel espace. C'est comme si elles avaient gagné sur lui.

C'est le premier changement de cap depuis le déménagement, au milieu de la paralysie de son mari qui n'a cessé de s'aggraver et le démoralise.

Johanna sort pour la première fois les œuvres de Van Gogh de l'obscurité, de la clandestinité où elles n'avaient pas d'avenir.

Pendant que Johanna avance, une lampe à pétrole à la main, et regarde les tableaux, elle a une illumination. Elle se rappelle la légende familiale de l'amour obstiné de Van Gogh pour sa cousine Kee, lequel s'est terminé en scandale. Il en était venu à poser une main sur la flamme d'une lampe, devant une grande partie de sa famille, un soir de fureur incontrôlable.

« Je ne demande qu'à la voir le temps que je pourrai supporter cette douleur », aurait-il dit tandis que l'odeur de chair brûlée envahissait la pièce.

Un chantage affectif désespéré.

De toute façon, dans l'aube de Montmartre, aucun aspect de la vie de Van Gogh ne peut lui paraître plus insensé que d'avoir laissé son destin entre les seules mains de son frère cadet, enfermé dans le même cercle de feu familial.

Le soleil d'automne se lève entre des rafales de vent froid et le ciel de Paris s'enflamme, ce matin d'octobre 1890, dans l'odeur de bois brûlé.

C'est le premier signe que l'hiver arrive.

Quand Théo commence tôt avec ses reproches sordides, mesquins ou déplacés, Johanna s'attaque au cœur du problème pour ne pas gâcher sa journée.

Se plaindre du manque d'eau fraîche dans les seaux ou passer un doigt sur la commode de manière policière pour mesurer la quantité de poussière est le signe d'autre chose.

Théo semble tenaillé par une tristesse qui affecte son tonus musculaire, mais sa langue, au contraire, se fait acérée. Il est obnubilé par l'idée qu'il aurait pu sauver son frère, sans penser à l'aide infatigable qu'il lui a apportée les dix dernières années pour qu'il ne se consacre qu'à la peinture.

Johanna rappelle à son mari qu'ils l'ont invité trois fois l'année dernière.

Johanna et Théo lui avaient demandé de venir à Paris sous prétexte de visiter l'Exposition universelle en l'honneur du centenaire de la Révolution, mais Van Gogh ne s'intéressait plus à rien qui ne soit sa peinture.

Il ne paraissait pas intrigué par l'avancement de la tour Eiffel mois après mois ; encore moins par l'Exposition avec des Indiens venus des confins du monde et exposés comme dans un zoo de la modernité ; ni par un cowboy américain qui tirait sur des pommes posées sur la tête de pauvres malheureux payés cinq francs de l'heure pour risquer leur vie.

Il ne s'intéressait pas non plus aux objets en osier arrivés récemment d'Indonésie, ni aux laines argentines qui donnent envie de les caresser, ni aux nouveaux fruits africains qui fondent dans la bouche.

Ils ont transformé la commémoration d'une révolution en spectacle. En France, on transforme tout en spectacle, écrivait Van Gogh dans les lettres qui arrivaient ponctuellement à Pigalle. Lettres fort bien écrites d'ailleurs, Johanna avait pu le constater.

Johanna est prise en photo ici dans son appartement de Montmartre, et à sa façon de regarder l'objectif on dirait qu'elle devine que son image entrera dans l'histoire.

Quelqu'un la photographie avec Vincent Van Gogh dans les bras. Il ne s'agit pas du Vincent Van Gogh mort à peine né, ni de celui qui était venu au monde exactement un an après pour réparer l'impossible et qui a peint furieusement tout ce qu'il trouvait sur son chemin, pour oublier peut-être que pesait sur ses épaules affaissées le poids du prénom de son frère mort.

Le Vincent Van Gogh dans les bras de Johanna est son fils qui a un peu moins d'un an. Johanna écrit.

Le cliché est de l'inconditionnel Maurice Beaubourg, et on peut voir comment l'objectif s'ouvre sur nous pour qu'apparaissent aussi les toiles encadrées ou seulement accrochées sur les murs irréguliers.

Je vis ici, comme je peux, mes derniers jours à Paris, entourée de tournesols d'une fulgurance effrénée, des chaises jaunes de l'absence, de divers autoportraits sans concession et de ces ciels qui tournent en rond, éperdus, comme s'ils voulaient s'envoler.

Dans la pièce contiguë Théo commence, lentement, à disparaître lui aussi.

Il y a des choses que Johanna ne peut pas écrire.

Le matin du 12 octobre 1890 elle doit emmener Théo dans les couloirs de la clinique psychiatrique du docteur Dubois, deux mois et douze jours après le suicide de son frère. Elle voit se dérouler des scènes qu'elle n'oubliera pas de sa vie.

Deux jours plus tard, dans une maison de santé encore pire, celle d'Émile Blanche. Ce sont des journées où elle comprend dans sa chair que la souffrance mentale est plus déchirante que la douleur physique. Pour la première fois elle pense que le deuil de son frère met Théo sur la voie de la tragédie.

Je ne vais rien en écrire : on visite l'enfer, mais pas pour le raconter, écrit Johanna dans son journal intime.

Elle a la sensation qu'elle devrait laisser certaines choses se décanter, ne pas revenir dessus tout de suite. *Il faut que je laisse reposer les angoisses de ces derniers jours avant de les décrire*, se dit-elle en langeant son fils.

Mais en même temps un autre élan, plus définitif et plus urgent, la pousse à raconter, comme en ce moment, aux premières lueurs du jour.

Les meilleurs alpinistes savent que toutes les montagnes s'escaladent à l'intérieur de soi. Elle écrit.

Il est étendu là, l'air d'un homme triste, mais on dit au bordel d'Agostina Segatori qu'il était particulièrement actif. Il veut peut-être y accrocher de nouveau les tableaux de son frère comme il l'a fait il y a quelques années.

Au Tambourin on l'a vu ivre dans les bras de la tenancière.
Hier après-midi il a traversé la pièce furieux et égaré : le petit pleurait pendant que Théo allait et venait, un couteau à la main. C'est trop. Je ne dois pas m'habituer à ce qui est anormal : je veux retourner en Hollande.
Je vais essayer de convaincre Théo de m'accompagner. Ce sera plus facile d'obtenir de l'aide dans nos familles.
S'il ne veut pas, je pars seule avec mon fils.

Tous les après-midi où je peux m'asseoir et écrire, je reçois à la fenêtre la visite d'un colibri. Un bon augure.

Les tableaux et les meubles restent pour le moment à Paris.

Ils retournent en Hollande en emportant deux malles de linge et, bien sûr, le coffre contenant toutes les lettres de Van Gogh et quatre toiles : l'autoportrait à l'oreille coupée, les souliers de la pauvreté et deux des tournesols penchés sur l'infini.

Quand Johanna, Théo et Vincent quittent Paris on ne parle que d'une chose : un drame familial s'est déroulé tout près de chez eux, à cinq minutes à pied en direction du sud.

Les quotidiens ont fait leur une avec l'histoire de ce dessinateur du nom d'Hayen, né à La Nouvelle-Orléans, venu à Paris l'an dernier pour l'Exposition universelle. Quand les feux d'artifice de la fête battaient leur plein, beaucoup d'artistes se retrouvaient déjà sans travail.

Le dessinateur, sa femme et leurs six enfants n'avaient pas mangé depuis plusieurs jours. Leur fille aînée était allée acheter du charbon, ils s'étaient enfermés, avaient mis le feu et étaient morts dans les bras les uns des autres.

Au bout de quatre jours, les odeurs sans équivoque du drame avaient alerté la police qui avait défoncé la porte et trouvé la femme d'Hayen respirant encore, entourée de sept cadavres. On lui avait sauvé la vie, mais, heureusement pour elle, elle avait perdu la raison.

Johanna n'oubliait pas les six cents tableaux de son beau-frère restés à Pigalle et qui auraient pu être perdus à jamais.

Mais à ce moment-là elle ne pensait qu'à la santé de son mari, à leur voyage en Hollande, à demander de l'aide, et surtout elle ne voulait pas que l'enfant subisse de si près l'effondrement de son père.

J'ai parlé avec les parents de Zuleica.

Nous nous sommes mis d'accord pour qu'elle puisse m'accompagner en Hollande. Une marque de confiance qui me remplit d'orgueil.

Elle a avec Vincent un lien très affectueux. J'ai besoin d'elle à mes côtés.

C'est de ces questions que s'occupe en ce moment Johanna Van Gogh-Bonger, et non de tableaux.

Elle regarde leur maison pour la dernière fois.

Le voyage, prévu en principe pour quelques jours seulement, prend à ses yeux un caractère définitif. André et Annie leur disent au revoir à la gare.

Par la fenêtre du wagon, Johanna voit son frère agiter un mouchoir blanc tout en lissant sa moustache démesurée pour contrebalancer son regard mélancolique.

Elle évite de pleurer devant lui.

Elle range les valises, endort Vincent, laisse la fenêtre à son mari et compte leurs économies: mille huit cents francs.

Il y a des gens qui peuvent dépenser cet argent en une seule journée, et je devrai le faire durer éternellement, écrit Johanna tandis que Paris court en sens inverse, c'est maintenant une série de taches et de silhouettes qui cahotent le long des voies et se perdent.

> Le reflet de la fenêtre me renvoie mon image dans la pénombre. Je ne me reconnais pas.
> J'y vois la fatigue sous les yeux de ma mère, l'épuisement de mes tantes à la commissure des lèvres, le volume des cheveux argent de ma grand-mère ; mais je ne parviens pas à me voir.
> Je ne trouve pas l'image de moi-même qui est en moi.

Au petit matin, Johanna arrive chez sa sœur Karah à Utrecht, avec Théo et sa santé de plus en plus dégradée.

Karah Bonger les reçoit sans poser de questions et met à la disposition des nouveaux venus Julie, une adolescente serviable de Loenen, qui s'occupera aussi de l'enfant pendant les moments de repos de Zuleica.

Karah sait que Johanna devra consacrer une grande part de son attention à Théo.

> Maintenant Vincent joue et découvre les moyens de se tenir debout ; il lutte déjà contre les lois de la gravité et ses petits doigts s'accrochent à tout ce qui peut le soutenir.
> Il reste là, chancelant, ses petites jambes dures comme du bois, jusqu'à ce qu'il s'écroule.
> Le plus beau de tout c'est de le voir rire quand il tombe.

Johanna sort marcher le long des canaux et des quais d'Utrecht. Elle reprend une habitude qu'elle avait perdue à Londres et à Paris, elle regarde à nouveau les gens dans les yeux, elle cherche dans les visages qui passent quelqu'un qu'elle connaît.

La ville est plus propre que celle qu'elle a laissée il y a sept ou huit ans quand elle a abandonné ses cours de littérature anglaise pour étudier Shelley au British Museum.

Johanna longe le canal Singel, flanqué des arbres roux de cette fin d'automne et des maisons austères en forme de cloche qui s'éclairent au passage des bateaux. Elle marche et se rappelle une phrase de son père qu'elle a entendue toute son enfance.

« Dieu a fait le monde, sauf la Hollande. La Hollande, c'est nous, les Hollandais, qui l'avons faite », disait-il tous les dimanches après le vin du déjeuner.

Il n'y a pas de temps à perdre.

Le lendemain, Johanna parcourt un quartier du sud qu'elle ne connaissait pas. Comme presque partout, à Utrecht les bâtiments qui accueillent les orphelins et les fous se trouvent à l'extérieur de la ville.

Elle se dirige vers un ensemble de maisons basses en briques, l'hospice Kameren Maria van Pallaes, et arrive devant une façade baroque de l'ancien orphelinat, qui doit avoir environ deux cents ans. Elle trouve tout de suite ce qu'elle cherche : au coin de Lange Nieuwstraat et Agnietenstraat, la Fondation Willem Arntsz[1].

Avant qu'elle frappe à la porte d'entrée, il lui vient d'on ne sait où une pensée sinistre : si son mari n'est pas sauvé ici, il ne le sera jamais.

L'après-midi elle y conduit Théo. Le docteur Handkesen semble être l'autorité supérieure des lieux et se permet quelques luxes : il arbore un costume exagérément bleu et une cravate qui a le tort d'être bien plus voyante que sa secrétaire.

---

1. L'établissement psychiatrique le plus ancien des Pays-Bas.

Il toussote et se touche sans cesse le menton, nerveusement. Il met une urgence inouïe dans chacun de ses gestes. Malgré tout, il inspire confiance.

Le docteur Handkesen les invite à entrer dans son cabinet, ferme la porte et, comme s'il laissait le monde à l'extérieur, il allume une pipe qui sent le chocolat ; et concentre toute son attention sur Théo Van Gogh.

« Que se passe-t-il ? » demande-t-il.

Théo bat des paupières comme s'il sortait d'un territoire plongé dans une obscurité complète. On dirait qu'il ne va pas répondre.

« Chaque jour de ma vie est le pire de ma vie », finit-il par dire.

Johanna les laisse seuls.

5

Johanna le dissimule très bien, mais elle a des crises de colère profonde contre son mari.

Après avoir passé plusieurs jours couché presque sans bouger ni parler, Théo lui chuchote que son père préférait prêcher au cimetière qu'au temple, pendant un enterrement, parce qu'on y prête l'oreille d'une autre façon.

Dans son lit Théo prend le ton de son père. Comme s'il l'imitait, avec une certaine révérence ou soudain railleur.

« Nous sommes de passage », déclare-t-il pontifiant comme le pasteur devant la famille et les amis du défunt.

Johanna est effrayée par ce qu'elle entend. Et c'est la seule chose que dit Théo en trois longues journées. Impossible de l'arracher à son silence.

Maigre et émacié, la veille, après une légère agitation, Théo est sorti de sa fièvre, mécontent, avec un bâillement qui paraissait venir d'un cercueil.

Il se passe tous les jours beaucoup de choses.

Je reviens à mon journal. Il a réapparu comme le souvenir d'une gouttière pendant un orage inattendu.

À présent Théo fait des allers et retours aux lettres de son frère et se permet une violence inhabituelle contre lui-même, mais aussi contre le petit et contre moi.

C'est trop douloureux.

Johanna ne supporte pas les papiers qui cherchent à embellir un cadeau, ni les fausses caresses. Elle ne supporte pas la façon édulcorée et pathétique dont la presse romance la réalité. C'est ce qu'elle se dit en lisant sur l'affiche du quotidien *Utrechtsche Courant* un titre qui attire son attention : *Le Voyageur du Gange.*

Certains chroniqueurs ont baptisé de ce nom joyeux le redoutable choléra. Précisément maintenant que l'épidémie de dengue paraît jugulée. Le choléra n'a rien de gai. *Pourquoi ne pas intituler l'article : Le choléra n'a rien de gai ?* se dit Johanna[1].

Elle ne croit pas que c'est un hasard si à côté de la nouvelle de la progression du choléra, collée à elle et presque comme s'il s'agissait d'un autre fléau possible, l'*Utrechtsche Courant* informe d'une série de grèves dans toute l'Europe. Une nouvelle à côté de l'autre comme si c'était la même chose.

Johanna rentre chez sa sœur et se réconforte en lisant trois nouvelles phrases de Jules Renard dans la dernière édition du *Mercure de France* qu'elle a emportée dans ses bagages. Elle les note pour ne pas les oublier.

> Quand une vérité dépasse les cinq lignes, c'est du roman.
>
> C'est une question de propreté : il faut changer d'opinion comme de chemise.
>
> Notre vanité ne vieillit pas : un compliment c'est toujours une primeur.

---

1. En 1890 le choléra est arrivé en Europe par l'Espagne où il a fait les premiers ravages à Valence, avant de se répandre dans divers pays européens.

Renard pratique la meilleure manière de rire de tout, à commencer par lui-même.

La température du corps. Le mal de tête. La surveillance du pouls. Le brillant des yeux.

Ce qui se passe avec un malade c'est qu'il conditionne l'humeur de ceux qui l'entourent et dépendent de lui : la moindre amélioration provoque une joie, le moindre trouble plonge ses proches dans l'inquiétude.

Théo est la proie d'une seule idée, le suicide de son frère. Tout le reste est hors cadre. Notre fils et moi-même sommes à l'extérieur.

Il ne semble orienté que vers l'impossible : son frère vivant. Heureusement, ma famille est fermement à mes côtés. Cela ne me surprend pas de la part de Karah, mais je ne me doutais pas de la solidarité silencieuse de son mari, Kurt.

Ce matin, pour la première fois depuis des mois, la maladie de Théo est passée au second plan pour Johanna.

C'est que la ville d'Utrecht, comme toute la Hollande, semble s'être figée : le roi est mort.

Finalement, après une agonie interminable et une maladie d'environ trois ans, la nouvelle de la mort de Guillaume III a couru sur les marchés financiers le matin et elle est confirmée le soir à la dernière heure.

Johanna veut sentir par elle-même le pouls de la ville et se dirige vers les quartiers les plus éloignés du centre.

Les plus modestes aimaient Guillaume III, même si à l'avenir on doit le considérer comme l'un des monarques les plus décadents de son époque : frivole, homme à femmes, fermé aux nouveaux courants politiques, toujours sur le point d'abdiquer, fatigué de négocier avec la plèbe.

Chez Karah personne ne pleure la mort du roi. Dans les milieux où évolue Johanna, la question est autre : comment supporter de ne plus pouvoir s'en prendre à quelqu'un qu'on déteste.

Les notices nécrologiques des journaux ont pris le ton que Johanna déteste. Presque toutes ont oublié le personnage de la première femme du roi, sa cousine Sophie de Würtemberg, qu'il a fait beaucoup souffrir[1].

Guillaume III était incapable de diriger une maison, comment aurait-il pu diriger un empire ? C'est ce que n'écrivent pas les journaux hollandais.

Quand il est devenu veuf il a voulu épouser la princesse Pauline van Waldeck-Pyrmont, qui l'a repoussé et a laissé entre les mains du roi sa sœur cadette, Emma.

Grâce à elle, voilà quinze ans que les choses vont mieux en Hollande.

De quarante ans plus jeune que le roi qui vient de mourir, Emma a su lui faire abandonner ses grands airs. Elle l'a domestiqué. Elle l'a rendu meilleur.

J'ignore ce qui va se passer maintenant.

Mon père disait hier soir qu'il est probable qu'Emma continue de tout diriger en exerçant finalement la régence, jusqu'à ce que Wilhelmina soit en âge de monter sur le trône.

À dix ans, à l'enterrement de son père, celle-ci comprenait à peine ce qui était arrivé, et elle s'intéressait davantage à sa poupée qui parlait, dernière invention des Edison.

---

1. À la mort de Sophie de Würtemberg en 1845, on disait dans les rues, les cafés et les salons les plus proches du pouvoir qu'elle était morte de haine rentrée. Le roi en était venu à interdire dans le palais les livres et les exercices intellectuels pour éviter les discussions familiales. Les journaux anglais le traitaient de paysan mal élevé.

« Bonjour maman, tu as bien dormi ? Tu aimes ta petite fille ? » répète sans relâche en anglais la poupée de porcelaine. C'est la dernière mode parisienne.

« Bonjour maman, tu as bien dormi ? Tu aimes ta petite fille ? » répète la poupée aux joues roses.

C'est paraît-il ce que l'on entendait toute la journée dans la chambre de la fillette, tandis qu'au palais du gouvernement on veillait son père avec toute la pompe de circonstance.

En Hollande, les tempêtes arrivent chargées de présages, elles gardent au fond d'elles un climat de verdict, les désordres d'une inquiétude.

Il souffle en ce moment un vent d'ouest et les eaux semblent sur le point de se prononcer. Ceux qui vivent aux Pays-Bas doivent apprendre tout petits la résignation face à l'eau et le courage qui permet d'affronter un adversaire qu'ils savent supérieur.

« Celui qui n'arrête pas la mer ne mérite pas la terre », était une autre sentence de son père que Johanna entend depuis toujours.

> Bien que nous sachions tous que l'on peut vaincre la mer dans les petites batailles, nous savons qu'elle est capable à tout moment de retourner à sa forme véritable.
>
> Au-delà des digues, des canaux, des ponts et des estacades.
>
> Ces choses-là me viennent à l'esprit et réussissent à me pousser à cet exercice solitaire qui consiste à réunir des mots pour personne, pendant que tous dorment à la maison.
>
> J'ai très bien fait de revenir à Utrecht.
>
> Papa, qui n'avait jamais approuvé mes voyages à Londres ou à Paris, paraît maintenant ému par mon fils et contrarié aussi par la maladie de mon mari.

La folle maladie de Théo, dit-il. Mais il ne fait aucune difficulté pour m'aider en me donnant de l'argent.
À dire vrai, je ne lui demande guère plus.

Tout s'est compliqué et pendant que Théo lutte pour sa vie à Utrecht, Émile Bernard, le meilleur ami de Van Gogh, cherche à exposer ses derniers tableaux à Paris. Il est soutenu par Albert Aurier et presque personne d'autre.

Gauguin a été direct comme toujours et a dit à Bernard, comme il en a l'habitude, qu'il n'est pas nécessaire d'organiser une exposition des tableaux de Vincent Van Gogh. Pas encore.

Ils ont dîné ensemble dans un restaurant de la rue Delambre et Gauguin parlait fort pour dire qu'il aimait réellement les tableaux de Van Gogh, puis il baissait la voix pour dire à Bernard, en le regardant dans les yeux d'un air menaçant, qu'à cause de la bêtise des gens ce n'était pas bon de le leur rappeler si tôt après sa mort.

« En plus, Théo ne va pas bien. Une exposition maintenant donnerait des arguments à ceux qui assurent que la folie alimente notre peinture », a ajouté Gauguin.

Émile Bernard écrit une lettre à Johanna et Théo dans laquelle il leur raconte son dîner.

Théo ne lira jamais cette lettre qui étonne à peine Johanna : elle n'attend plus rien de Gauguin. Elle l'a croisé l'an dernier à Paris rue de la Gaîté où il cherchait un adversaire pour jouer au billard. Il portait une de ses chemises efféminées et marchait avec cet air supérieur, les pieds bien ouverts, en faisant claquer sur le pavé des sabots ornés d'or et d'indigo.

Insupportable.
À Montmartre tout le monde savait que les sabots appartenaient à Émile Schuffenecker.

Ce n'est pas tout. À Montmartre tout le monde savait que Gauguin avait d'abord occupé un coin de son atelier, qu'il s'était emparé ensuite de toute la pièce, plus tard de la maison tout entière, et qu'il lui empruntait même sa femme quand il en avait envie.
Gauguin a toujours voulu tenir le rôle principal.
Il y a peu, à Paris, quand il a été choisi comme témoin, en compagnie de Jules Renard, dans le duel entre Julien Leclerc et Rodolphe Darzens, Gauguin s'est impatienté parce que les adversaires tardaient à s'affronter.
« Alors c'est nous qui allons nous battre », criait Gauguin les yeux exorbités.

Johanna s'occupe de Théo et commence à entendre parler autour d'elle de « gravité ».

Soudain, et peut-être définitivement, il n'est plus resté à Théo qu'une infime portion de son corps. Comme si un coup violent lui avait atteint la région du cerveau qui commande les mouvements.

Toute la vie de Théo se limite maintenant aux manifestations minimales de son corps.

L'index droit qui frotte l'ongle du pouce. Ce matin il n'a pas d'autre moyen d'exprimer la colère qui bouillonne en lui. Il ferme les yeux comme nous le faisons tous quand nous voulons être ailleurs. Il est comme agrippé à une rampe fragile pour ne pas tomber.

On informe Johanna qu'il doit être interné.

C'est ainsi et pas autrement. Je dors un peu à côté de Théo dans une chambre de cet hôpital pour les fous.
Tout ce que j'ai appris de la vie ces derniers temps, je l'ai appris de façon plus ou moins brutale.
J'ai compris hier qu'en raison de son immobilité presque absolue Théo ne doit pas dormir toute la nuit dans la même

position ; des escarres, comme des plaques râpées, apparaissent sur sa peau et l'écorchent.

Il ne lui reste plus que sa langue rageuse, le reste de son corps enfoui dans l'ombre. Johanna voudrait ne pas penser que s'il continue ainsi il ne passera pas l'hiver.

Son honnêteté est brutale. Il dit tout ce qu'il pense.

« Ta mère vient te voir demain, lui annonce Johanna.

– La belle affaire », répond Théo avant de refermer les yeux.

Anna Cornelia Carbentus passe quelques heures au chevet de son fils. Johanna ne peut presque pas parler avec elle parce qu'à soixante-dix ans, depuis la mort de Van Gogh et avec Théo dans cet état, elle a l'air d'être tourmentée par ses crises d'amnésie qui ne lui laissent jamais de répit.

La confusion émotionnelle qui règne n'empêche pas Johanna de respecter une des traditions d'Utrecht qui lui manquait. Des rituels un peu paresseux mais qui donnent la sensation d'appartenir à un endroit. Aujourd'hui, 5 décembre 1890, elle a retrouvé la joie innocente de laisser quelques pièces dans les chaussures des enfants pauvres, qui sont d'ailleurs de plus en plus nombreux dans la ville et en Hollande.

Les festivités de la Saint-Nicolas ont ouvert une brèche de deux heures dans son attention obsessionnelle pour Théo.

Son frère André arrive de Paris. Il dit qu'il a fait le voyage pour fêter la nouvelle année et le premier anniversaire de son neveu, mais Johanna sait qu'il est surtout venu rendre visite à son ami.

Et Théo ne veut pas le recevoir.

Ils se voient quelques minutes à peine et il lui dit de s'en aller. Ensuite André invite Johanna à dîner.

André et moi avons toujours été francs entre nous.
Il me dit qu'il est temps de voir les choses en face, le lien entre tous les Van Gogh, mais surtout entre Théo et le peintre, n'a jamais été sain.
Une union étrange. Nous le savons.
André me dit que cela vient de très loin, il me rappelle certains détails.

La première grande crise psychiatrique de Van Gogh s'est produite la nuit du 24 décembre 1888 quand Théo et Johanna ont fêté leurs fiançailles.

Avec une précision mathématique, le peintre a répété ensuite les épisodes critiques à chaque nouvelle étape de la vie de son frère, y compris après l'annonce de la grossesse de Johanna et après la naissance de l'enfant[1].

Van Gogh célébrait ces étapes tout en les associant à un abandon possible. À la perte de ses cent cinquante francs par mois pour le pain, la bière, l'absinthe, les couleurs et les pinceaux.

André m'avoue qu'il a dû intervenir plusieurs fois quand les Van Gogh habitaient ensemble à Paris et que personne ne pouvait s'interposer entre eux.
Il me dit aussi que cela lui paraît encore plus difficile maintenant. Qu'il ne sait pas comment tout cela finira.
« Tu dois te protéger », me dit-il.
Il me serre dans ses bras et s'en va.

1. Ce sont les termes employés dans le diagnostic établi par le philosophe et psychanalyste Charles Mauron, professeur à l'université d'Aix-en-Provence, dans une conférence donnée à l'occasion du centenaire de Van Gogh au Stedelijk Museum d'Amsterdam.

Petit matin très froid.

Théo se réveille d'un rêve, sans sursauts, comme un voile que l'on tire.

Lentement, très seul, il émerge de ses eaux pour me demander de frotter son dos douloureux, ou pour me répondre que oui, il a mal à la tête là où un maillon a cédé pour le laisser dans le noir.

Aujourd'hui nous avons eu une joie.

La nouveauté est apparue dans la chambre d'hôpital pour se propager ensuite comme le son d'une cloche sous l'eau chez nous tous qui l'accompagnions. En pleine nuit Théo a soulevé la jambe gauche tout seul.

Tout un mouvement, ces muscles qui se séparent timidement du drap pour monter vers le plafond dans l'air âcre de l'hôpital.

Le soulagement n'a duré qu'un instant. Une ouverture sans suite. En pleine nuit Théo semble vouloir dire quelque chose que Johanna a du mal à comprendre. Elle lui demande de le répéter lentement.

« S'il te plaît, un peu de patience », répond Théo effondré.

Johanna se dit qu'il ne peut pas la laisser ainsi maintenant. Pas maintenant. Elle retient ses larmes. Elle essaie de l'embrasser comme au premier jour et il ne lui reste qu'un goût d'adieu vertigineux.

L'état de Théo empire.

Quand la paralysie a semblé s'étendre à sa respiration avant-hier, Johanna a compris que la fin n'était pas très loin.

Ce matin, à [illegible]ment, sans trop dramatiser, Johanna est env[illegible]se tristesse en sentant que son mari a fr[illegible]ue leurs sensations – dans la même ch[illegible]es – ne peuvent plus se rencontrer.

J'écris dans l'obscurité, le cahier appuyé sur le bord du lit où Théo agonise. Je le vois tantôt là, tantôt dans un autre monde.
Pourtant, son ouïe est toujours très fine, comme s'il parvenait, dans un demi-sommeil, sans parler, à rester présent.
Il passe beaucoup de temps les yeux au plafond à regarder sans voir.
Écrire sur le bord du lit de Théo qui lutte pour sa vie est comme rédiger des nouvelles du front.
La fièvre a maintenant ajouté quelques années à son visage et on dirait qu'il ne trouve pas l'air dont il a besoin.
Hier soir j'ai regretté de ne pas pouvoir lui tenir la main pour traverser la tempête finale si elle arrivait, et cette pensée a été horrible.

J'accompagne l'agonie de Théo.
Mais personne ne peut me demander de prendre plaisir à donner la becquée à un homme qui devant une glace, il y a un peu moins d'un an, me serrait dans ses bras jusqu'au bout de la nuit la plus humide.
Je fais ce que je dois faire comme une épouse dévouée et reconnaissante.
On ne peut pas m'en demander davantage.

6

C'est le premier jour de l'année 1891.

En partie en raison des fêtes de fin d'année mais surtout à cause de la maladie de son père, le premier anniversaire de Vincent passe presque inaperçu.

Le prochain sera différent, se promet Johanna dans son journal intime.

Chez Théo la tristesse provoque des ravages.

Il n'y a pas que l'immobilité presque absolue ; il y a du sang dans ses urines, il est plus maigre que jamais, les nausées et les vomissements ne lui laissent aucun répit, et il souffre de violents maux de tête. En outre, séquelle de cette secrète maladie vénérienne mal soignée, il est atteint d'un prurit généralisé qui le gêne terriblement et lui fait honte.

Les médecins concluent à une sévère hémiplégie psychiatrique consécutive à une néphrite chronique.

On dirait qu'un diagnostic précis les rassure.

Johanna veut seulement savoir si Théo va vivre.

La toux persistante, l'impossibilité de remuer tout seul, la fatigue infinie.

Hier je me suis arrêtée près de son lit et je l'ai pris dans mes bras. À la fin il a relâché ses épaules et son dos contractés par la souffrance.

Il s'est endormi.
Ensuite je l'ai longuement massé entre les sourcils.

Johanna a l'impression que Théo commence à s'en aller.

Il dit ce matin que pour son frère mourir c'était entreprendre un voyage vers une étoile.

« Comme si nous prenions le train pour aller à Tarascon ou à Rouen, nous prenons la mort pour aller à une étoile. Ce qui est tout à fait certain c'est qu'un vivant ne peut pas aller sur une étoile, tout comme un mort ne peut pas monter dans un train », dit Théo et il sourit.

Johanna croit entendre la voix de son beau-frère, et non celle de son mari, résonner dans la chambre de la Fondation Willem Arntsz.

Elle a oublié son journal comme la vie elle-même.

Elle écrit maintenant avec la belle plume qui appartenait à Théo : un trait plus austère qui glisse mieux sur le sentiment d'éloignement et la douleur qui l'accablent. Elle écrit et jette les pages dans la cheminée.

Après une agonie interminable Théo meurt finalement le 25 janvier 1891, six mois après le suicide de son frère.

Les derniers jours, sa dernière crise, quand il a voulu jeter à l'eau sa femme et son fils dans un dernier accès de folie avant la prostration définitive, tout est fini.

Johanna a écrit à propos de ces moments pour les conjurer, pour les arracher de son corps.

Mais elle n'en laisse aucune trace. Tout ce qu'elle a écrit sous cette impulsion ne sert qu'à alimenter le feu.

Ni les condoléances à l'enterrement, ni la marche sous la pluie glacée entre des tombes inconnues, ni le regard perplexe et innocent de Vincent dans ses bras, pendant des années Johanna ne se rappellera rien autant que la première pelletée de terre sur le cercueil de Théo.

Et le retour du cimetière sans son mari. La sensation d'abandonner un feu sous la pluie.

« Dis-moi si tu as mal quelque part, lui avait demandé Johanna à son chevet, vers la fin.

– Et moi, qu'est-ce que j'y gagne ? » lui avait répondu Théo.

Leur dernier dialogue pour ainsi dire. Un dialogue dont Johanna se souviendra toute sa vie.

C'est une matinée froide mais ensoleillée à Utrecht. Johanna prépare son retour chez ses parents à Amsterdam.

Chez Johanna, la tristesse du décès de Théo se double d'une fureur intime. Ce n'est pas facile d'admettre que l'enfant reste sans père peu après son premier anniversaire.

C'est ce qui ne lui permet pas de pleurer son mari jusqu'au bout. La situation l'oblige à un déménagement non désiré. Ce n'est pas facile. Se retrouver chez ses parents. Veuve depuis peu, avec un fils si petit.

Elle n'a pas encore trente ans.

Malgré tout, elle fixe dans son journal les moments qui valent la peine.

Elle écrit, soudain surprise par une idée nouvelle. Comme beaucoup de personnes, elle écrit pour mieux réfléchir.

Vincent joue.

Il regarde fixement un hochet en cèdre peint en turquoise qui se balance dans son berceau. Un va-et-vient qui l'hypnotise.

Sa tête suit son regard. Et il me revient une chose dont je ne m'étais pas complètement rendu compte sur le moment : Van Gogh, son oncle, regardait de cette façon.

C'était dans la cour centrale chez le docteur Gachet. Il a entendu le piaillement d'un oiseau en direction du sud. Il n'a pas tourné la tête pour suivre le son comme nous l'avons tous fait, mais il s'est tourné tout entier pour voir en face la trace de l'oiseau dans le ciel.
Van Gogh regardait le monde avec la même intensité qu'un enfant.

Johanna a sa première insomnie chez ses parents.

Elle s'assoit, allume trois grosses bougies jaunes et cherche, un peu à tâtons, son fourre-tout de fin cuir argentin de Pugliese. Une des rares choses qu'elle a emportées avec elle au cours de ses déménagements.

Il y a là les lettres de Van Gogh à son mari. Elles sont plus de six cents, en ordre chronologique, telles que Théo les a laissées, attachées par année avec des rubans rouges ou bleu ciel.

Les yeux fermés, Johanna en sort une au hasard. Elle lit.

Arles, 1888.

Car au lieu de chercher à rendre exactement ce que j'ai devant les yeux, mais que je me sers de la couleur plus arbitrairement pour m'exprimer plus fortement.

Enfin laissons cela tranquille en tant que théorie, mais je vais te donner un exemple de ce que je veux dire.

Je voudrais faire le portrait d'un ami artiste qui rêve de grands rêves, qui travaille comme le rossignol chante, parce que c'est ainsi sa nature. Cet homme sera blond. Je voudrais mettre dans mon tableau mon appréciation, mon amour que j'ai pour lui.

Je le peindrai donc tel quel, aussi fidèlement que je pourrai pour commencer.

Mais le tableau n'est pas fini ainsi. Pour le faire je vais être coloriste arbitraire.

J'exagère le blond de la chevelure, j'arrive aux tons orangés, aux chromes, au citron pâle.

Derrière la tête, au lieu de peindre le mur banal du mesquin appartement, je peins l'infini, je fais un fond simple du bleu le plus riche, le plus intense, que je puisse confectionner, et par une simple combinaison la tête blonde éclairée sur un fond bleu riche obtient un effet mystérieux comme l'étoile dans l'azur profond.

Johanna reste longtemps la lettre entre les mains, essayant de se remettre du choc. Elle la relit. Ce qu'il y a là, dans une écriture hâtive et nerveuse, est un manifeste artistique sur la couleur, quelque chose comme un *ars poetica.*

Johanna repense soudain à la multitude de tableaux restés à Pigalle et ils commencent à lui manquer[1].

Midi.
Il n'y a pas un seul mot écrit du fond de ces jours de deuil qui puisse arriver à ce cahier. Un cahier qui m'aide à ne pas oublier.
Je m'enferme dans la chambre de mon enfance, et mes parents cherchent à regarder ailleurs. Ils sont distraits aussi, et c'est une chance, par les premiers pas que tente Vincent.
J'ai pleuré Théo pendant presque deux semaines.
Ce matin, je me suis dit : *Ça suffit.*
Je dois penser à mon fils.

---

1. On peut dire que c'est ici que commence l'immense œuvre d'édition accomplie par Johanna Van Gogh-Bonger des lettres de son beau-frère. Elles les traduira, les exposera avec les tableaux et les publiera finalement à Amsterdam en 1914, vingt-quatre ans après la mort des frères Van Gogh.

La grève des postes fait que certaines lettres arrivent à contretemps. Dans une lettre tardive de Paris, Émile Bernard demande à Johanna des nouvelles de la santé de son mari. Il dit qu'il poursuit la préparation d'une exposition des œuvres de Van Gogh qui sont restées chez Tanguy[1] et ajoute que malgré Gauguin certains cercles parisiens revendiquent Van Gogh.

C'est vrai. Émile Bernard vient de participer à un dîner au café Sandona, en compagnie de Jules Renard, du directeur et de toute la rédaction du *Mercure de France*. Comme il était à prévoir, il y a eu au dessert force pyrotechnie verbale avec les derniers verres de vin. Il semblerait que Renard méprise ou envie un peu Aurier, qui reste le défenseur le plus ardent et le plus maladroit de Van Gogh à Paris. Ils ont discuté d'esthétique.

« Je pourrais compter vos poils de barbe, mais je n'ai pas le temps », lui disait Renard qui était ivre, et Aurier bouillait de colère.

Malgré tout, et c'est ce qu'il faut retenir, Renard a fait l'éloge du texte d'Aurier sur l'œuvre de Van Gogh, et quand ils étaient tous déjà un peu ivres, la nuit bien avancée, il y a eu un débat sur le courage ou la lâcheté du geste suicidaire du peintre.

« Combien ont voulu se suicider et se sont contentés de déchirer leurs photos », a dit Renard et la discussion a été close.

---

1. Tanguy, qui s'était battu pour la Commune de Paris, était surnommé « le père » par ses amis plus jeunes auxquels il vendait à bas prix des toiles et des couleurs. Il conservait dans son atelier beaucoup de tableaux de Van Gogh qui ont disparu après la mort de Tanguy avant qu'ils commencent à être cotés sur le marché. Il s'est rendu à Auvers avec Bernard et Lautrec pour l'enterrement de Van Gogh.

Maintenant que j'y pense, je crois qu'il n'y a pas de photos de Van Gogh[1].
La seule dont je me souvienne a été prise avec Émile Bernard à Asnières.
J'ai vu cette photo à Pigalle.
Ils bavardent ensemble près d'une esplanade à côté du fleuve et on voit dans le fond le restaurant Chez Tatave.
Van Gogh tourne le dos à l'appareil.

Johanna sait très bien que durant les années où elle a vécu avec Théo les lettres de son frère ont été son fétiche personnel, intime.

Elles sont exactement six cent cinquante et une, regroupées d'après les lieux de résidence de Van Gogh. Depuis la première, de Londres, en 1873 jusqu'à celle que le peintre avait sur lui le soir de sa mort.

Elles démontrent la facilité des Hollandais pour les langues étrangères; elles sont écrites en néerlandais, en français et en anglais, toujours de cette écriture urgente de quelqu'un dont la pensée voyage au même rythme qu'elle.

Celles qui sont écrites en anglais avaient peut-être pour but de décourager les indiscrétions familiales. Il est peut-être vrai aussi que voyager entre plusieurs langues permette d'éclaircir des questions qui restent dans l'ombre dans la langue maternelle.
Mais il ne faut pas trop se fier à ses intuitions avec les Van Gogh.

Théo ne m'avait jamais laissée voir ces lettres et maintenant j'ai commencé à les lire, lentement.

1. Les photos de Vincent Van Gogh enfant et adolescent sont restées cachées pendant des années et n'ont été connues qu'en 1897.

Dans toutes, les demandes d'argent se voient entourées, comme par hasard, d'une poésie élégante et débordante telle sa peinture.

Pendant qu'elle lit, elle est prise dans un jeu de miroirs. Celui qui écrit ne l'intéresse pas autant que son destinataire. Elle traque, en quelque sorte, le lecteur des lettres, pas celui qui les envoie.

Ce n'est pas Van Gogh qu'elle cherche en elles. Elle cherche à comprendre qui était son mari.

> Cet hiver est très rude.
> Cet après-midi les enfants patinaient sur les canaux gelés.
> Je n'ai jamais pu le faire.
> Je n'aime pas ce qui glisse. Je n'aime pas me tenir sur la glace ou sur la neige, encore moins me sentir sur le point de tomber.
> Il est temps de quitter la maison de mes parents. Dans trois mois je dois m'être fixée dans un lieu plus ou moins définitif.

Dans la cuisine silencieuse, Hermina Bonger Weissman, la mère de Johanna, entonne à sa manière les concertos brandebourgeois de Jean-Sébastien Bach, enthousiasmée à l'idée de réunir ses enfants à la même table.

Un voyage éclair d'André Bonger à Amsterdam pour des raisons liées à ses affaires d'exportateur coïncide avec la visite de Karah qui arrive d'Utrecht.

Hermina organise donc un dîner de famille, et pour cela elle a éclairé la grande salle avec des chandeliers et des bougies jaunes. Ce sera la première soirée en société de Johanna en tant que jeune veuve, devant ses frères et sœur qui viennent d'arriver.

Heureusement pour elle, l'atmosphère est résolument hollandaise. Aucune condescendance spéciale vis-à-vis de Johanna et de son enfant, aucun traitement particulier, rien qui la fasse se sentir encore plus mal à l'aise. Et Johanna sait que cette forme subtile de gentillesse est une preuve de très grande affection.

Au dessert – une tarte au citron avec une goutte de liqueur de menthe –, le fils aîné des Bonger, Jan, apporte finalement la note de politique nécessaire.

Il dit qu'en Espagne, en Catalogne, une grève violente a lieu. Et qu'à Londres la police, les employés de poste, les cochers de fiacre et les pompiers se battent pour une augmentation des salaires. En Belgique, raconte-t-il, il y a eu plus de vingt mille grévistes.

Hendrik Bonger toussote : il n'aime pas la politique à la table familiale.

« Il y a des choses que personne ne pourra arrêter », dit Johanna en affichant clairement sa position.

Comme il remarque que son père ne cache pas sa contrariété, André change de registre et raconte qu'aux bains de mer de Marbella, les femmes arborent, au lieu de bas, des chaussettes de soie. Transparentes.

« Oui, elles sont plus fraîches et plus commodes, commente Johanna.

– Mais ce ne doit pas être convenable de relever ses jupes : combien d'indiscrétions en résulteraient », réplique la maîtresse de maison pour plaisanter.

Elle ne réussit même pas à dérider son mari qui croit que ces audaces féminines ne font que réduire la distance entre l'habillement des dames et celui des lupanars.

Au dernier café, Johanna oriente de nouveau la conversation en parlant de la tendance de plus en plus forte au repos dominical et de la mode récente des vacances annuelles dans la bourgeoisie européenne. Elle prépare le terrain pour ce qu'elle a décidé en secret pendant la semaine.

Plus tard, dans sa chambre d'adolescente, Johanna confie à André qu'elle ne pense pas rester à Amsterdam, comme tous le souhaitent aimablement.

Ces jours-ci elle a repensé à une idée qu'elle avait eue à Paris après la naissance de Vincent : une maison dans un village tranquille aux environs d'Amsterdam.

Elle a pensé à Bussum, le lieu enchanteur où ils avaient parfois séjourné quand ils étaient enfants.

Comme toujours, André l'encourage dans sa décision.

« Après Londres, Paris et un mari mort, impossible de retourner chez les parents. Ce sera la meilleure solution pour l'enfant », dit-il.

Quand le soir Johanna arrive enfin à s'isoler, elle consacre une bonne partie de son temps à lire les lettres à Théo, bien qu'elle en trouve certaines excessives.

Van Gogh écrit par exemple vingt-sept pages au sujet de la parabole de Jésus sur le grain de moutarde : la plus petite graine qui fait naître l'arbre le plus grand.

Les lettres l'obligent toujours à vaincre au début une première résistance : le ton condescendant qu'employait Van Gogh pour s'adresser à son frère cadet la dérange.

Il lui donnait toujours, comme en passant, des conseils et des consignes. *Je suis content que Millet te plaise. Je vois que tu t'intéresses à l'art et c'est une bonne chose, mon vieux. Trouve beau tout ce que tu peux*, écrivait-il.

Johanna lit les lettres très tard dans la nuit d'Amsterdam et elle est effrayée par la colère rétrospective qu'elle éprouve contre Théo.

Pourquoi supportait-il ces leçons et cette prétention de son frère aîné ? Pourquoi Théo s'est-il laissé entraîner dans cet abîme brûlant du sacrifice? se demande-t-elle à la lumière de la lampe à gaz, les enveloppes répandues sur la table.

Trois ou quatre heures de sommeil et Johanna est dérangée par le chant du coq qui marque son territoire dans le lointain. Le bruit de l'eau se répercute contre les quais et les maisons.

Johanna se réveille. Elle retourne aux lettres.

Personne ne pouvait se mettre au niveau de Van Gogh, pense-t-elle, mais lui ne gagnait ni la bière ni le pain qui le nourrissaient au petit déjeuner pour s'éloigner ou se rapprocher du suicide qu'il projetait peut-être depuis toujours sans le savoir.

Johanna découvre dans une lettre de La Haye de 1883, sept ans avant de se tirer une balle dans la poitrine, que Van Gogh s'était représenté son avenir. Elle lit:

Je vis donc comme un ignorant qui n'a la certitude que d'une seule chose: je dois accomplir en peu d'années une tâche déterminée.

Il n'est pas nécessaire que je me précipite, puisque cela ne servirait à rien; je dois me consacrer à mon travail avec calme et sérénité.

Le monde ne m'intéresse que dans la mesure où j'ai contracté une dette envers lui, et où je me dois, parce que j'ai foulé cette terre pendant trente ans, de lui léguer par gratitude quelques souvenirs sous la forme de dessins ou de peintures, réalisés non pas pour plaire à telle ou telle tendance artistique, mais pour exprimer un véritable sentiment humain.

Aujourd'hui Vincent a quatorze mois.

En ce moment, tandis que j'écris, il observe quelque chose, il fixe son regard dessus et dit avec effort le nom de ce à quoi ses yeux se sont intéressés.

Vincent réfléchit.
Il parle.
Entre le désespoir causé par le chien qui passe et le mot qui le nomme, je vois briller, un millième de seconde, l'esprit de mon fils.
Il essaie d'atteindre le langage.
Il sourit.
Quand il nomme et dit « train », « eau », « maman », il donne l'impression qu'il domine ce qu'il nomme.
Et il sourit.

7

Johanna lit la correspondance de son beau-frère.

Elle lit les lettres selon l'ordre chronologique, comme s'il s'agissait d'un roman. Mais quand elle se lasse de la ferveur mystique de Van Gogh, de cet orgueilleux destin de pauvreté dont il fait étalage dans ses premières lettres, d'Etten ou de Bruxelles, elle prend de l'avance.

Elle avance dans le calendrier.

Et elle progresse dans l'intrigue, curieuse de connaître la suite.

Quand elle est étourdie par l'époque fanatique où il était évangéliste chez les mineurs, elle fait tourner la roue du temps et se permet des incursions dans des lettres plus récentes.

Elle en trouve une de 1888, par exemple. Alors elle lit, et elle est émue.

J'ai une lucidité terrible par moments, lorsque la nature est si belle de ces jours-ci, et alors je ne me sens plus et le tableau me vient comme dans un rêve.

Dans les lettres, Johanna découvre des poèmes.

Hendrik Bonger, le père de Johanna, est de ceux qui distillent dans leur foyer une autorité revendiquée et grandiloquente. Une imposture.

Il vient de gagner une fortune grâce à diverses importations d'Indonésie, mais ne manifeste aucune intention de proposer à sa fille un investissement qui l'aide à préparer son avenir et celui de son petit-fils.

« Où vas-tu aller, Johanna ? » a-t-il demandé hier soir pendant que sa fille lui servait de la choucroute au dîner.

S'il ne tenait qu'à mon père, je devrais rester ici chez lui pour toujours.
C'est donc en réalité à ma mère que je parle de Bussum, un petit village qui m'est cher et qui a conservé ce que cette ville a perdu depuis deux siècles.
Et c'est finalement elle qui réglera la question quand ils seront seuls, la nuit, dans leur chambre.

Johanna reste éveillée après avoir allaité Vincent pour la seule fois de la journée. Un geste, pense-t-elle, auquel ils doivent tous les deux commencer à renoncer.

Il est certain qu'une fois chassées les toiles d'araignée les plus lourdes de son deuil elle ressent l'urgence d'aller de l'avant. Une nécessité semblable à celle qui l'avait poussée hors de Paris avec Théo dans son déclin final.

Au-delà de l'inquiétude que son père a générée il y a autre chose.

Je veux fuir cette distance opaque, toujours présente, qui nous sépare de ceux qui nous sont les plus proches.
Ce ne sera jamais le moment si je ne commence pas maintenant.

Le dimanche, sans guère d'explications, elle laisse son fils quelques heures à ses parents et prend un train pour Bussum.

Curieusement, y revenir n'est pas une déception pour Johanna. Au contraire, elle y retrouve une flamme intérieure de son enfance, que ni les voyages ni cette mort récente ne parviennent à éteindre.

À son retour elle écrit.

> Visite révélatrice à Bussum.
> Parfois, le dessin d'une cour, un contre-jour insolite sur une fenêtre ou le brillant du pavé après la pluie décident plus que toute autre chose de votre place dans le monde.

Au croisement de J. van Woensel Kooylaan et Ruwaardlaan, à l'ombre du plus vieux cèdre de Bussum, Johanna acquiert la certitude, en ce dimanche de mars 1891, deux mois exactement après la mort de son époux, qu'elle se trouve dans le lieu idéal où élever Vincent.

En se promenant aux alentours de la gare elle est surprise par le chant d'oiseaux inconnus. Divers signes d'un espace qui ne paraît pas encore domestiqué par la civilisation.

Elle pressent que Bussum est l'endroit qu'elle cherche : proche de ses parents mais à la bonne distance. Une vingtaine de kilomètres qui peuvent se raccourcir ou s'allonger selon les besoins du moment.

> Le calme de ce village pourrait délimiter les priorités de ma vie : élever Vincent, assurer mon indépendance économique, lire les lettres de Van Gogh, et récupérer les tableaux qui sont restés à Paris.

Johanna revient aux lettres.

Elle est obsédée par la correspondance de son beau-frère : gênée d'entrer dans une intimité étrangère, elle se laisse emporter, surprise, par l'intensité d'une prose qui brûle tout sur son passage.

Lettres écrites comme par quelqu'un qui va et vient très vite, d'un autre lieu, mais qui s'arrête un instant pour devenir précis dans ses mots.

Je lis et je comprends de mieux en mieux le ravissement de Théo.
Van Gogh domine l'art d'écrire des lettres.
Il s'applique, même quand il écrit un message d'une seule ligne.
Une idée l'anime : que le destinataire puisse l'accrocher pour sa beauté sur un mur de sa maison.
Van Gogh écrit comme il peint[1].
C'est l'aube d'un lundi de fin mars 1891. La rigueur de l'hiver semble craquer : l'air devient de jour en jour un peu plus lumineux. En ce moment même, depuis la cour du fond, on entend nettement jusqu'à cette table le chant d'une grive.
Mon ami le professeur qui rêve de bateaux a raison : le printemps est là.

Le beau temps joue en faveur de Johanna qui persuade ses parents d'aller passer le dimanche au grand air à Bussum.

Tous apprécient un déjeuner champêtre, mais Vincent plus que quiconque : il se démène à sa guise durant des heures dans une lande boisée comme s'il s'agissait de la cour de sa maison.

1. *Ne serait-ce pas l'émotion, la sincérité du sentiment de la nature qui nous guide ? Les coups de pinceau s'enchaînent comme les mots d'un discours ou d'une lettre,* explique Van Gogh à son frère en juillet 1888 dans une lettre d'Arles.

Le soir, en allumant un cigare, Hendrik Bonger lit à voix haute des déclarations de la reine Victoria d'Angleterre, enflammé par la haine. « C'est à ne pas croire », dit-il, et il lit à l'intention de tous, sans autre introduction.

Toute la maisonnée interrompt ce qu'elle était en train de faire pour suivre cette voix.

La conférence sur la traite des esclaves réunie à mon initiative par le roi Léopold a terminé ses délibérations, et ses conclusions ont été approuvées par toutes les puissances représentées à l'exception de la Hollande.

« La reine Victoria... » tempête Hendrik Bonger en jetant le journal sur un fauteuil. Quand il a retrouvé son calme, Johanna l'oblige à changer de registre et lui parle d'autre chose : l'influence de Paris dans le monde, la lutte pour le repos dominical, la tendance des petits-bourgeois à faire des séjours aux eaux et aux bains de mer et à organiser des parties de campagne. Quand elle sent la corde se tendre et l'attention de son père fléchir, elle conclut, l'air très sérieux, par une plaisanterie.

« Le temps libre a pour effet de relâcher les porte-feuilles les plus fermés », dit-elle. Et elle sourit.

Alors oui, Hendrik Bonger éclate finalement d'un rire sonore, derrière les moustaches héritées de ses années dans la marine marchande.

Toutes les cartes sont sur la table. En servant le café Johanna vise plus loin. Elle joue le tout pour le tout et parle de l'endroit où ils avaient passé des vacances en famille durant son enfance. Bussum est à la bonne distance pour ceux qui découvrent le besoin nouveau de prendre quelques jours de repos loin de la routine d'Amsterdam.

« Une maison à Bussum ne m'apportera pas seulement la tranquillité émotionnelle dont j'ai besoin. Ce sera aussi une bonne affaire », explique-t-elle.

Hendrik Bonger mange son pudding aux fraises en silence.

Il ne dit rien.

Johanna regarde sa mère. Elles savent toutes les deux, en échangeant des regards furtifs, que c'est bon signe.

Johanna a toujours été ainsi.

Incapable de prendre beaucoup de décisions, elle connaît, comme toute femme de sa classe et de sa condition intellectuelle à la fin du XIXᵉ siècle, les bienfaits de la patience. Mais lorsque Johanna Van Gogh-Bonger a quelque chose en tête, elle se met en route, se redresse et ne regarde plus en arrière.

Hermina et Hendrik Bonger connaissent leur fille. Ce sont eux qui ont inculqué à leurs enfants cette autonomie qui permet à Johanna de leur laisser Vincent ce dimanche matin pour partir en quête d'une maison à Bussum.

Le contact fourni par André se révèle bienvenu. À dix minutes de marche au sud de la gare, un de ses anciens camarades d'Utrecht, M. Edgar Leeuwenburg, lui présente exactement la maison qu'elle cherchait.

L'endroit s'appelle, ou s'appelait, car elle est abandonnée depuis six mois déjà, la Villa Helma. Un toit à double pente, une cour mangée par la végétation, mais devant cette maison détériorée Johanna ne voit que le rêve de son avenir.

Des pièces sombres qu'elle imagine avec des portes et des fenêtres à l'ouest, des couloirs qu'elle projette bientôt peints de bleu marine pour leur donner davantage de profondeur.

La chambre de Vincent dans les restes de ce qui ressemble à un bureau ; la sienne à côté du cabinet de toilette principal. Elle imagine les sols, recouverts de poussière et de détritus, dégagés et brillants.

Elle parvient à voir la vie que cette maison a perdue. Elle regarde les murs des pièces et des couloirs ; elle les imagine avec les tableaux de Van Gogh. Elle découvre aussi que la pièce la moins humide, celle de l'étage, orientée au nord, sera parfaite pour le reste des tableaux qu'elle ne pourra pas accrocher.

Dans toute la maison aux murs écaillés ou rongés par le salpêtre, elle imagine des tableaux de Van Gogh.

Elle se montre cependant distante avec le vendeur.

« Il y a beaucoup de travaux à faire », dit-elle et, tout heureuse, elle cherche la porte de sortie. Dans le train du retour elle écrit une seule phrase.

> J'ai un pressentiment : si je retourne une seconde fois dans cet endroit, ce sera pour l'acheter.

Johanna reçoit une lettre d'Octave Mirbeau[1] accompagnée d'un article publié par *L'Écho de Paris* le 31 mars 1891 pour commémorer les six mois de la mort de Vincent Van Gogh.

Le texte de Mirbeau est digne, émouvant. Devant ces tableaux Johanna a ressenti elle aussi un peu de ce qu'il dit.

---

1. Octave Mirbeau, séduit par les personnages modestes, trouva en Vincent Van Gogh une bonne histoire à écrire. Anarchiste, il travailla pour plusieurs quotidiens jusqu'à ce qu'ils le licencient. Quelques années seulement après la mort du peintre, il écrivit sous forme de feuilleton un roman extraordinaire intitulé *Dans le ciel* qui met en scène un peintre directement inspiré de Van Gogh. Il fut aussi un des premiers intellectuels à acheter des tableaux du Hollandais

Van Gogh a eu, à un degré rare, ce par quoi un homme se différencie d'un autre : le style. [...] Et tout, sous le pinceau de ce créateur étrange et puissant, s'anime d'une vie étrange, indépendante de celle des choses, qu'il peint, et qui est en lui et qui est lui. Il se dépense tout entier au profit des arbres, des ciels, des fleurs, des champs, qu'il gonfle de la surprenante sève de son être. Ces formes se multiplient, s'échevellent, se tordent, et jusque dans la folie admirable de ces ciels où les astres ivres tournoient et chancellent, où les étoiles s'allongent en queues de comètes débraillées ; jusque dans le surgissement de ces fantastiques fleurs, qui se dressent et se crêtent, semblables à des oiseaux déments, Van Gogh garde toujours ses admirables qualités de peintre, et une noblesse qui émeut, et une grandeur tragique, qui épouvante. Et, dans les moments de calme, quelle sérénité dans les grandes plaines ensoleillées, dans les vergers fleuris. [...] Ah ! comme il a compris l'âme exquise des fleurs ! Comme sa main, qui promène les torches terribles dans les noirs firmaments, se fait délicate pour en lier les gerbes parfumées et si frêles ! Et quelles caresses ne trouve-t-il pas pour en exprimer l'inexprimable fraîcheur et les grâces infinies ?

Et comme il a compris aussi ce qu'il y a de triste, d'inconnu et de divin dans l'œil des pauvres fous et des malades fraternels[1] *!*

Johanna archive l'article dans le dossier des textes favorables à l'œuvre de Van Gogh.

Elle répond à Octave Mirbeau en le remerciant et lui demande, sans trop savoir pourquoi, des contacts parmi les critiques d'art hollandais.

Johanna a pour objectif la maison de Bussum qu'elle est allée voir dimanche. Sa mère ne trouve pas l'idée mauvaise

1. Texte paru originellement dans *L'Écho de Paris*, le 31 mars 1891. Repris dans *Des artistes*, recueil de textes d'Octave Mirbeau, Paris, Flammarion, 1922-1924, tome I, pages 130 et suiv.

et reconnaît dans ce geste un élan vital, l'envie de trouver une issue vers l'avenir après la mort de Théo.

Elle sait que ce ne sera pas facile pour une femme seule, mais elle est confiante.

« Un souci se soigne avec un souci moins gros », dit-elle à Johanna en souriant.

Étonnamment généreuse.

Elle a convaincu papa de faire le voyage à la fin de la semaine prochaine.
Il y aura des négociations.
J'ai soulevé Vincent du sol et je l'ai embrassé. Je suis allée dans ma chambre d'enfant et j'ai éprouvé un sentiment oublié de joie qui m'a rempli les yeux de larmes.

Les lettres de Van Gogh sont devenues une nécessité à laquelle elle consacre son peu de temps libre.

Johanna lit les lettres et se surprend à faire des calculs. En juillet 1880, Van Gogh avait vingt-sept ans et avait lu minutieusement la Bible, *La Révolution française* de Michelet, Victor Hugo, Dickens, Eschyle, Beecher Stowe, les enseignements du Bouddah, Fabricius et tout Shakespeare.

Qui est aussi mystérieux que Shakespeare ? Ses mots et sa manière sont l'équivalent d'un pinceau coloré, tremblant de fièvre et d'émotion, écrit-il.

Dans le Borinage, en juin 1880, il se laisse aller à écrire un peu n'importe quoi et crée des sentiments de culpabilité que Théo ne pourra jamais entièrement dépasser.

Si j'ai baissé, tu es monté; si j'ai perdu des sympathies, tu en as gagné. Ceci explique que je sois content de toi, vraiment, écrit-il.

Il l'a dit à Théo il y a dix ans au moment où il abandonnait tout pour peindre. Johanna pense maintenant, pendant qu'elle couche son fils, qu'il aurait parfaitement pu entreprendre aussi une carrière d'écrivain.

Johanna lit les lettres ; beaucoup lui donnent envie de renoncer.

Le chemin est étroit, la porte est étroite et peu la trouvent.

Puis elle les laisse quelque temps de côté, pour y revenir et recommencer.

Comme si elle avait l'intuition, peut-être, que toute écriture n'est qu'une réécriture en germe ; depuis plusieurs jours Johanna lit les lettres comme elle lit Multatuli ou Shelley : avec un cahier à portée de main pour prendre des notes. *Il faut élaguer ces lettres,* pense-t-elle.

> Laisser de côté les confessions et conserver ces moments où il se montre en proie aux émotions et crée, presque sans s'en rendre compte, des textes d'une grande valeur poétique. Quand il décrit un tableau, de lui ou de quelqu'un d'autre, et qu'il le vit en mots, Van Gogh est un écrivain extraordinaire. Par exemple, pour décrire un dessin représentant des mineurs :
> *Des mineurs*
> *qui vont à la mine*
> *le matin*
> *au milieu de la neige*
> *le long d'un sentier*
> *bordé par une barrière d'épineux :*
> *des ombres qui passent*
> *et se distinguent*
> *vaguement*
> *dans le déclin de la civilisation.*

Souvent dans son journal elle intervient sur les lettres, donne de l'air aux textes, leur ajoute les blancs nécessaires, et c'est ainsi qu'apparaît dans les lettres de Van Gogh le vestige d'un poème.

Seule la peinture
m'a fait comprendre la lumière
restée dans l'obscurité.

Presque un haïku de Bashô.
La lettre est datée de La Haye, août 1882.

C'est devenu un vice secret pour Johanna de découvrir dans la bigarrure l'écriture éblouissante de son beau-frère. Entre demandes et règlements de comptes familiaux, Johanna sauve une description.

Un coin de jardin
avec des buissons en boule
et un arbre pleureur,
et dans le fond,
des touffes de lauriers-roses.

Et le gazon qu'on vient de faucher
avec de longues traînées de foin
qui sèchent au soleil,
un petit coin de ciel bleu vert
dans le haut.

Voilà ce qu'écrit Van Gogh avant d'annoncer qu'il va entreprendre de relire tout Balzac.

Hendrik Bonger se décide enfin à écorner ses économies: il achète la Villa Helma et fournit les fonds pour la réfection de la maison qui demandera au moins deux mois.

Johanna, qui vient d'assister à l'effondrement de son mari, se chargera maintenant de remettre une maison sur pied. Elle se déplace elle-même avec son frère aîné Jan pour surveiller les travaux.

La première décision qu'elle prend est que la Villa Helma conservera son nom. Johanna écoute ce que lui dit le vendeur : si on rebaptise un endroit on le condamne au mieux à la confusion entre deux noms.

Il lui a indiqué une demeure voisine.

« Les gens continuent de l'appeler "La Maison blanche". Même si les nouveaux propriétaires l'ont baptisée "Le Refuge" et ont peint sa façade en rouge. »

Il a raison.

Je suis contente pour la première fois depuis des mois.
Ma mère et moi sommes donc allées chercher des meubles.
Nous avons acheté une chambre en palissandre avec une armoire à glace, une salle à manger en noyer et en chêne avec une vitrine pour l'entrée de la Villa Helma.
Nous avons trouvé à un très bon prix des chambres en noyer pour une personne, des lustres en cristal et en bronze, des rideaux en drap brodés à la main, une table de toilette, une commode, beaucoup de vaisselle et une bibliothèque en ébène.

Premier samedi d'avril 1891 à Amsterdam.

Épuisée au bout de quarante jours de travaux à la Villa Helma, Johanna s'aperçoit qu'elle s'était préparée à une bataille qui n'a jamais eu lieu. Dans son testament, Théo avait évalué avec la froide lucidité des moribonds l'œuvre de Van Gogh à une valeur d'à peine deux mille florins.

« Personne ne pourrait s'occuper de tout ça mieux que toi », avait-il dit à sa femme peu avant la fin, une des rares décisions qu'ils aient pu prendre ensemble.

C'était un moyen de conjurer de possibles interventions familiales, loin de se produire néanmoins.

Si c'était arrivé, s'il y avait eu la moindre tension entre les Van Gogh à propos de l'avenir des tableaux, j'aurais dû leur en parler.
Pas seulement par affection, ni à cause des cent cinquante francs mensuels de Théo pendant dix ans. Si je m'apprête à récupérer les tableaux qui sont restés dans notre appartement de Pigalle sous la garde de mon frère André, c'est pour une raison plus logique que sentimentale : s'ils prennent de la valeur à l'avenir je serai la personne indiquée pour les faire connaître.
De toute façon, à l'exception de Wilhelmina, aucun des Van Gogh n'a pris conscience de l'héritage artistique du peintre. Sa mère elle-même n'a pas manifesté le moindre intérêt et elle ne savait pas quoi faire des toiles restées à Breda[1].
J'ai toujours su que Van Gogh avait été blessé par ce mépris pour sa peinture.
Les tableaux nous reviennent à moi et à notre fils plutôt qu'à n'importe quelle personne de la famille. Même si on commence à m'appeler la veuve des Van Gogh.

Johanna se prépare à écrire une lettre. Une lettre qui va changer sa vie. Elle y revendique officiellement un héritage.

Johanna Van Gogh-Bonger, à l'aube du 15 avril 1891 à Amsterdam, commence la quatrième version d'une lettre qu'elle enverra à Émile Bernard.

---

1. Toutes les œuvres qui se trouvaient dans la maison familiale de Breda avaient été entreposées dans un dépôt d'un menuisier, M. Schrauer, ce qui avait beaucoup vexé Van Gogh. Quand en 1889, quelques mois après son suicide, sa mère se rendit à Leiden auprès de ses filles, elle ne se soucia pas de retirer ces toiles. Beaucoup furent vendues dans les brocantes ou utilisées comme fond par des peintres débutants.

Elle essaie de trouver un ton délicat et précis à la fois pour inspirer chez le peintre un sentiment de confiance.

Elle lui écrit que ça lui semble une excellente idée de publier quelques lettres de Van Gogh dans *Le Mercure de France* et elle lui indique la marche à suivre.

> Le 1er mai j'ouvre une pension de famille à Bussum. Je crois que grâce à elle je pourrai nous faire vivre mon fils et moi. C'est une très belle maison, nous y serons au large, le bébé, les tableaux et moi, bien mieux que dans le petit appartement de Pigalle où j'ai passé malgré tout les plus beaux jours de ma vie.
> Mais n'ayez pas peur que les tableaux finissent au grenier ou dans un cagibi isolé. J'en décorerai toute la maison. J'espère que vous aurez l'occasion de venir en Hollande et de voir que j'en ai pris grand soin.
> Je vous demande de faire un choix, vous et mon frère André, parmi les près de six cents tableaux restés dans la maison de Pigalle.

Le vent de l'histoire commence à tourner en faveur de l'œuvre de Van Gogh. C'est très bien qu'ils se chargent tous les deux de cette édition précipitée. L'intuition artistique d'Émile Bernard s'alliera au flair d'André Bonger agent d'assurances.

> Je lui ai également demandé qu'ils m'envoient les tableaux appartenant à Théo qui sont restés à Pigalle.
> Il y en a de Gauguin, Pissarro, Toulouse-Lautrec, Léon Lhermitte et Jean-François Millet.
> Ils ne valent actuellement que deux cents francs chacun. Mais qui sait.

8

Johanna abandonne un moment ce cauchemar de malles et de valises du déménagement, les regrets des choses qu'elle ne trouve pas et la joie d'en redécouvrir d'autres qu'elle croyait perdues à jamais.

Elle laisse un moment entre les mains de Zuleica sa maison et son fils, et sort faire une promenade, courte, sa première en qualité d'habitante de Bussum.

Elle marche dans Bukbbergenweg à la lumière ocre de peupliers dont les feuilles viennent à peine d'éclore.

Elle revient régénérée. Elle écrit.

> Il est vrai que la patrie se compose finalement de la liste de promenades que l'on peut faire à pied autour de son village.
>
> J'ai envie de rester ici plusieurs années.

Une semaine après son installation et quand elle réussit à mettre la maison plus ou moins en ordre, les tableaux de Van Gogh arrivent. Soigneusement emballés par Émile Bernard, ils arrivent à la Villa Helma en même temps que des meubles que Johanna tenait à récupérer de Paris : un Maison Krieger signé de Damon et Regio et un salon Louis XVI en noyer, doré et tapissé de velours rouge.

Parmi les six cents tableaux de Van Gogh restés à Pigalle, Émile et André en ont choisi trois cents. Ils ont joint à l'expédition environ quatre cent cinquante dessins.

Après avoir tout installé, Johanna s'assoit dans un fauteuil, les jambes surélevées.

Il y a beaucoup de jaunes mais pas tellement de soleils dans l'œuvre de Van Gogh, pense-t-elle en se plongeant dans les violets du semeur au soleil couchant, accroché avec des punaises dans le salon.

Sa tonalité bienfaisante et enveloppante donne vie au tableau et Johanna s'endort avec cette image. Elle dort un quart d'heure. Elle sent qu'elle s'est reposée pour la première fois depuis des mois.

Vincent a participé joyeusement à la récupération des toiles. Il jouait parmi les papiers et les couvertures qui avaient servi d'emballage. Il sortait soudain de son monde pour rester un moment à regarder, très fixement, la danse étrange des cyprès, un aimable portrait du cher Tanguy, les moulins aux abords de Montmartre.

Cet après-midi j'ai accroché plusieurs toiles dans la Villa Helma. Ç'a été mon premier geste, montrer les toiles au monde[1].

---

1. Devant la valeur acquise avec le temps par les tableaux de Van Gogh, de futurs critiques reprocheront à Johanna d'en avoir abandonné trois cents dans la maison de Pigalle, dont certains ont fini sur des étals de camelote boulevard de Clichy ou de Rochechouart. Mais il lui était impossible de se charger de la totalité de l'œuvre. Certains critiqueront même le fait que des tableaux aient échoué dans la modeste maison de Bussum. « Cette œuvre éblouissante aurait peut-être dû se trouver dans un meilleur endroit qu'une pension de province », ont écrit Pierre Leprohon et Pierre Marinié dans leur remarquable recherche biographique sur Van Gogh (Pierre Leprohon et Pierre Marinié, *Vincent Van Gogh*, Paris, Éditions de Valhermeil, 1972.)

La transformation de la Villa Helma est notable.

La nouvelle allure du bâtiment, la réhabilitation d'une cour et d'une terrasse, la peinture des murs – un vert pastel pour que l'ensemble ne paraisse pas trop neuf – et surtout les tableaux de Van Gogh ont donné à cette pension une personnalité particulière.

Johanna en vient à penser que les tableaux lui ont porté chance et, pour la première fois, les deux chambres d'hôtes sont louées en même temps pour la fin de la semaine. Les premiers arrivants sont un couple anglais très terne et insignifiant avec lequel Johanna échange à peine trois mots, et deux heures plus tard arrivent des Argentins exotiques, tous deux écrivains. Mondains et modernes.

Au cours du premier dîner avec Johanna, ils lui laissent entendre qu'après des années de mariage ils sont parvenus à un accord avantageux pour tous les deux : elle a opté pour les amours féminines furtives et tourmentées et laisse le terrain libre à son époux pour des aventures qui durent au maximum deux soirs avec les plus belles femmes de son pays.

> Ils avaient un humour inébranlable.
> Ils viennent d'une terre d'excès. Ils m'ont raconté que lorsque les familles riches de leur pays viennent en Europe, elles transportent une vache dans la cale du bateau pour que leurs enfants ne manquent pas de lait frais pendant la traversée.
> Et ils ont plaisanté sur la manie que nous avons, nous les Hollandais, de tout transformer en musée.

« En tout cas elle était intéressante cette collection de pipes anciennes que nous avons vue dans un magasin de produits coloniaux à Gouda, a dit l'homme sur un ton ironique.

– Parce que tu ne te rappelles pas le musée de jouets anciens ouvert à Deventer », a précisé sa femme sur le même ton.

Ensuite, plus sérieusement, ils ont reconnu la forte impression que leur a faite *La Ronde de nuit* de Rembrandt qu'ils ont vue au Rijksmuseum d'Amsterdam et se sont montrés réellement fascinés par les tableaux de Van Gogh.

Ils ont emporté dans la pampa argentine pour trente florins de dessins de la première période.

Johanna écrit dans son journal et a acheté par ailleurs un autre cahier à la couverture bleue et au fin papier japonais où elle note quelques détails relatifs à la croissance de son fils.

> Le journal de mon fils grandit de jour en jour, tout comme lui. Maintenant je le vois avancer à tâtons dans des espaces ouverts et j'aiguise mon regard pour neutraliser des dangers éventuels. J'aime beaucoup le regarder faire quelques pas anxieux, triomphants, dans la rue.
> Tout d'un coup Vincent se tourne et, comme un bateau qui gîte sur bâbord, il me cherche.
> Il cherche en moi un repère pour continuer à avancer.
> Alors il fait demi-tour et reprend sa marche : il se sert de ses bras pour garder l'équilibre, comme de rames qui fendraient l'air.

Minuit silencieux à Bussum.

C'est tout un apprentissage de comprendre d'un coup d'œil les désirs différents de chaque voyageur. Il faut gérer les horaires et faire preuve de souplesse.

Johanna a l'avantage d'avoir acquis de l'expérience quand elle dirigeait les cours d'anglais au Collège de jeunes filles d'Utrecht. Ce n'est pas rien.

Certains veulent laisser ici, au hasard des conversations, tous les problèmes de leur vie, et d'autres, au contraire, demandent une chambre ou un dîner et disent le strict nécessaire pour l'obtenir.

Je ne sais pas pourquoi, mais je suis bien disposée malgré tout.

Je parle parfois avec les touristes qui sont intéressés par les tableaux et je leur donne des détails sur leur origine.

Mais il y a des moments où je ne dis rien. Je reste comme hypnotisée devant une toile. Le secret consiste alors à m'attarder sur un tout petit fragment du tableau, un détail fugace, un coup de pinceau qui semble condenser la totalité de l'œuvre. Très souvent, mon geste attire l'attention du voyageur.

Je constate alors que chaque fois que deux personnes regardent un tableau de Van Gogh il se tisse en silence, comme si elles écoutaient de la musique, une complicité qui défie l'explication.

En même temps qu'elle apprend à diriger une auberge, Johanna commence à considérer ce travail comme le prélude à une tâche plus urgente et nécessaire : faire connaître l'œuvre de son beau-frère.

Entre Gauguin qui est à la Martinique et Lautrec de plus en plus occupé par les bordels, Johanna a conscience d'être la première personne, en dehors du cercle de feu familial, à réunir l'héritage secret de Van Gogh : ses lettres et ses tableaux.

Des flèches à la pointe de miel.

En débarrassant la table du petit déjeuner et en préparant des sandwichs avec des tomates fraîchement cueillies et du fromage de Parme pour deux voyageurs de commerce qui ont logé à la Villa, Johanna s'aperçoit que malgré tout elle a un avantage par rapport aux femmes de son temps : elle ne reçoit d'ordres de personne.

Après tant de malheurs et de tribulations, elle commence à savourer sa liberté.

Je me sens flattée.

Les tableaux dans la maison ne passent vraiment pas inaperçus.

Ils ont de l'intensité. Ils aident, y compris au dîner ou pendant le café du matin, à trouver un sujet de conversation, moins banal que le temps qu'il fait, pour dissiper la gêne initiale entre inconnus.

L'ardeur de ces opinions spontanées et sincères accompagne le projet intime de Johanna. Elles seront finalement importantes pour la tâche qui l'attend. Elle écoute chacune de ces voix de passage, elle en prend note dans sa mémoire, elles l'encouragent. Il est temps de penser aux expositions de Van Gogh que Johanna devra organiser tôt ou tard.

Cet après-midi, Johanna lit une lettre de Van Gogh de 1883. La description du paysage qui entoure une bergère et son troupeau à Drenthe, qui le pousse à peindre : *dans le lointain infini d'un soir un chemin noir et boueux entouré de fleurs sauvages et un ciel tellement lilas qu'il ne tolère aucune analyse.*

Johanna sent que chaque projet de tableau est un poème.

Le soir, elle trouve dans les lettres la défense de Van Gogh à propos de son amour pour Sien. Johanna connaissait cette histoire que l'on racontait avec une certaine gêne après les dîners de famille. Le scandale qu'avait représenté le choix de Van Gogh de vivre avec une prostituée et ses conséquences : son père qui voulait le déshériter et le peintre qui se battait avec ses sœurs. Théo lui-même avait cessé momentanément de tendre la main à la brebis égarée.

Maintenant que les lettres sont en sa possession, Johanna apprend certains détails qui révèlent l'intimité de cette intrigue amoureuse et clandestine.

Van Gogh payait Sien quelques pièces pour qu'elle pose pour lui. Un soir, elle s'est présentée à l'improviste dans le modeste atelier de Van Gogh et il lui a demandé de s'en aller parce qu'il n'avait pas de quoi la payer.

« Je ne suis pas venue poser, je suis venue t'apporter ça », avait dit Sien.

C'était un plat de fèves et de pommes de terre. Elle savait qu'il n'avait rien à manger.

C'est alors – Sien était malade, elle avait une petite fille et elle était enceinte sans avoir de compagnon – que Van Gogh lui avait offert une place dans son logement de location.

Il me semble que chaque homme qui vaut le cuir de ses souliers, se trouvant devant un cas pareil, aurait agi de même. [...] Cette femme est attachée à moi comme une colombe apprivoisée, écrit Van Gogh.

Johanna lit les lettres et cherche ensuite les dessins de Van Gogh représentant Sien. Au fur et à mesure ses yeux s'emplissent de larmes.

Poussée par l'envie de vivre entourée de nuits étoilées, de cafés la nuit à Arles, de troncs de mélèzes sur le point de dire quelque chose et de moulins de Montmartre, éblouie par les mots de Van Gogh lui-même dans ses lettres, Johanna – et à une époque où les décisions des femmes vont contre le monde – accorde comme jamais les instruments de sa vie.

Comme si elle cherchait à réparer l'inaction de Théo, Johanna pense à une stratégie sérieuse pour que les toiles de Van Gogh commencent à circuler : de petites expositions, comme il le conseille d'ailleurs dans ses lettres à Théo.

Beaucoup montrer et ne vendre que le nécessaire.

En lisant une lettre où Van Gogh s'appuie sur Millet pour défendre les dessins âpres de sa première période à La Haye, Johanna a l'intuition que ces premiers dessins, au crayon de menuisier et plume rustique, pourraient être choisis pour la première exposition de Van Gogh en Hollande.

Elle en fait encadrer une quinzaine.

Ce n'est pas beaucoup, mais c'est tout ce qu'elle peut se permettre avec son budget actuel.

Johanna se demande si elle ne devrait pas les exposer précisément à La Haye, lieu d'origine de ces premières œuvres.

Même si elle ne le sait pas encore, ce sera une espèce de justice poétique.

Vincent joue longuement avec son train en bois. Un soulagement.
En dehors de sa difficulté à s'endormir le soir, mon fils ne paraît pas affecté par les nombreux changements de décor et d'habitudes qu'il a connus.
C'est agréable de le voir jouer comme s'il ne s'était rien passé.

Il y a toutefois des moments où Johanna est au bord de l'effondrement.

Pas tellement à cause du souvenir vivant de Théo, ni d'une offense silencieuse de son père, qui après avoir accordé les fonds pour la Villa Helma se sent à nouveau des droits, ni de certains gestes condescendants des notables, du pasteur le dimanche et des familles les plus traditionnelles de Bussum, qui observent avec une certaine méfiance un tel déploiement d'activité chez une jeune femme récemment veuve.

Ce qui l'accable ce sont les visites qu'elle reçoit.

Je ne peux pas le croire et je suis indignée.

Ils reviennent. Encore. Jusqu'ici, à la Villa Helma comme à Paris les premiers jours qui ont suivi la mort de Van Gogh, se présentent des fanatiques avec l'idée insensée d'anéantir les tableaux. Ils les accusent de malignité et de folie. Sont-ils de la même secte que ces Parisiens venus à Pigalle dans la même intention ?

Je ne comprends pas comment ils ont découvert cette maison.

Des religieux qui voient les signes du démon dans ces toiles déversent sur elles leur condamnation.

Le suicide du peintre, la mort de mon mari... Faudra-t-il attendre de nouvelles victimes ? disent-ils et ils s'en vont en proférant des menaces.

J'en parle à mes parents. Ils éclatent de rire devant tant d'ignorance.

Mais l'inquiétude ne me quitte pas.

Johanna marche résolument vers l'hôtel de ville.

Elle est furieuse.

Elle va porter plainte pour menaces afin qu'ils ne reviennent plus la déranger.

Dans ce climat, une visite vient chasser les vents mauvais qui soufflent sur Bussum. Octave Maus, un monsieur au visage imprécis et aux airs de dandy, est le fondateur du groupe des XX qui, comme son nom l'indique, est en avance d'une décennie sur le reste du monde. Des artistes un peu extravagants veulent organiser à Bruxelles une exposition en hommage à l'œuvre de Van Gogh qu'ils adorent.

Quelques tableaux, deux paires de tournesols, le lierre grimpant, un verger en fleurs avec les peupliers qui traversent le paysage, un champ de blé au lever du soleil, avaient déjà été exposés à ce salon l'année précédente quand Lautrec avait voulu se battre en duel pour défendre cette œuvre.

« Van Gogh a ébloui ses collègues, mais la presse l'a injustement maltraité, dit Octave Maus pendant qu'il choisit les tableaux qu'il emportera.

– Tant que vous n'inviterez pas les critiques à s'enivrer avec vous, il vous sera difficile de vous imposer », lui conseille Johanna.

Octave Maus se souvient d'une phrase que répétait Lautrec.

« Les critiques sont comme les eunuques, ils savent tout mais ils ne peuvent pas », disait le comte à l'exposition de Bruxelles en 1890.

L'atmosphère se prête à ce que Johanna ait confiance en lui et lui raconte les visites insolentes qu'elle a reçues à Pigalle et qui viennent de se reproduire à la Villa Helma. Octave Maus n'en croit pas ses oreilles.

« Nous devons nous hâter de faire connaître l'œuvre, parce que des religieux viennent me demander de la brûler, confie-t-elle pendant le dîner.

– Si l'un d'eux se montre à l'exposition en Belgique, j'appellerai la police », répond Maus.

Nous verrons.

La perspective qu'offre Octave Maus m'intéresse.

Il a emporté huit peintures à l'huile et sept dessins qu'il fera encadrer.

Après tout, c'est à Bruxelles qu'avaient été vendus les deux seuls tableaux, un autoportrait et la vigne rouge, qui aient rapporté un peu d'argent à Van Gogh de son vivant.
Nous fixons le prix à deux cent cinquante pièce et, par élégance, ni Maus ni moi ne parlons de la commission que prendra le salon de Bruxelles : nous savons tous les deux qu'elle sera équitable.

Nuit noire, sans lune.
Théo me manque. Le Théo de mes premières années auprès de lui.
Vincent dort maintenant toutes les nuits avec trois objets dans les bras.
Il emporte dans son lit une pelote de laine rouge, un des wagons de son train en bois et la clochette qui reste d'un hochet dont il ne s'est pas séparé depuis l'âge de dix mois.

Johanna écrit à ses parents. Elle leur annonce que si la situation ne change pas, dans trois ou quatre mois, grâce à ses bénéfices elle n'aura plus besoin de recourir à leur aide généreuse.

Elle ne leur parle pas des expositions. En revanche elle leur dit que dans un an elle pourra commencer à épargner pour de futurs agrandissements de la Villa Helma.

Lundi matin.

C'est le premier anniversaire de la mort de Van Gogh et du début de la chute de Théo.

Après quatre déménagements et le déclin inexorable de son mari, on peut dire que Johanna jouit maintenant de la paix que lui apporte enfin Bussum.

Elle a plutôt calmement partagé sa vie entre ses soins à Vincent avec l'aide de Zuleica, l'accueil des voyageurs de passage et la lecture des lettres de Van Gogh.

Et quelques visites fort bienvenues.

Wil Van Gogh arrive par le train du matin, impatiente de connaître la Villa Helma. Elle est un peu bouleversée elle aussi par un enthousiasme qui, au moins, paraît réel : elle a adhéré au premier mouvement féministe des Pays-Bas.

Bien que les intellectuels européens les plus audacieux considèrent que le féminisme n'est rien d'autre que l'impossibilité de compter sur un prince charmant, elle n'est pas naïve.

Et elle dit qu'elles se préparent à une longue bataille.

« Une longue bataille ? lui demande Johanna.

– De vingt ou trente ans », répond Wil.

Johanna trouve que c'est beaucoup trop long. Et elle va chercher un vin français à quarante francs que sa mère lui a apporté en cachette de son père.

Quand elle revient, Wil n'a changé ni de place dans le fauteuil central ni de sujet de conversation.

« Un jour nous aurons le droit de vote. Et je veux que ce soit dans cette vie, pas dans la prochaine », déclare-t-elle.

Johanna a l'impression que ce n'est pas à elle que Wil s'adresse mais à une tribune politique. Elle comprend néanmoins que l'enthousiasme de sa belle-sœur est raisonnable et juste.

Wil a apporté quelques cadeaux pour son neveu.

Aujourd'hui elle a regardé longtemps les autoportraits de son frère.

Elles se mettent tout de suite d'accord : Van Gogh ne cherche pas dans les portraits, les siens ou d'autres, la ressemblance photographique mais l'émotion de ce qui brille devant ses yeux.

Wil se rappelle une conversation avec Van Gogh.

« Je voudrais faire des portraits qui dans un siècle frappent les gens comme des apparitions », lui avait-il dit peu avant sa mort.

Johanna choisit de citer textuellement une phrase de Van Gogh qu'elle a lue dans une de ses premières lettres. *Que sont les couleurs d'un tableau sinon la vie intime des objets ?*

Plus tard, après avoir partagé une bouteille de vin entre femmes, Johanna soutient certaines revendications du mouvement féministe pour lesquelles milite Wil.

C'est merveilleux qu'elle vienne me voir, pense Johanna. *Elle est, de loin, la meilleure de la famille.*

> Les touristes m'apportent de bonnes nouvelles. Un Belge passe et me dit que le gouvernement vient de conclure avec les employés des chemins de fer un accord leur permettant de bénéficier du repos dominical par roulement.
> Deux jours plus tard un Français m'apprend que dans les bureaux des directeurs des grandes compagnies ferroviaires de son pays, c'est une question brûlante et que l'on annonce même dans les rues un congrès international destiné à traiter la question du jour de repos hebdomadaire.

Ce qui apportera de nouveaux touristes à la Villa Helma.

Johanna trouve du charme au fait de pressentir les humeurs et les changements d'une époque. Et de parier sur eux.

Johanna choisit de citer textuellement une phrase de Van Gogh qu'elle a lue dans une de ses premières lettres :
[illegible] le tableau d'un tableau sinon la vie même des objets ?

Plus tard, après avoir partagé une bouteille de vin entre femmes, Johanna soutient certaines revendications du mouvement féministe pour lesquelles milite Wil.

C'est merveilleux qu'elle [illegible], pense Johanna. Elle est, de loin, la meilleure de la famille.

Les touristes m'apportent de bonnes nouvelles. Un Belge passé ici me dit que le gouvernement vient de conclure avec les compagnies des chemins de fer un accord leur permettant de bénéficier du repos dominical, particulièrement [illegible]. Deux jours plus tard un Français m'apprend que dans les bureaux des directeurs des grandes compagnies ferroviaires de son pays, c'est une question brûlante et que l'on annonce même dans les rues un congrès international destiné à traiter la question du jour de repos hebdomadaire.

Ce qui apportera de nouveaux touristes à la Villa Helma. Johanna trouve du charme au fait de présenter les humeurs et les changements d'une époque. Et de parler [illegible]

9

Vincent passe des heures à jouer dans son bain.
Chaque fois il a du mal à entrer dans l'eau, mais ensuite on en a davantage à le sortir de là.
Il joue depuis un bon moment avec une petite casserole en bronze et un gobelet en bois taillé.
Zuleica et moi cherchons à lui apprendre à être propre. Il est temps maintenant.

À midi, Johanna et Wil déjeunent sous les amandiers de la cour.

Wil dit qu'il n'y a plus très longtemps à attendre avant que dans ce monde d'hommes la femme cesse d'être au mieux un objet de décoration.

« On dirait qu'ils nous traitent comme s'il nous manquait quelque chose », dit-elle.

Avec elle, Johanna a de nouvelles idées. Mais Wil et Johanna ne partagent pas seulement l'art et le féminisme. Les manches courtes, dernière tendance de la mode, sont un sujet qui les occupe également.

Nous sommes allées faire des courses.
Wil a osé une robe bleue terriblement audacieuse : le dos est à peine couvert de tulle. Une femme avec des enfants, comme moi, doit se contenter de blanc ou de noir.

Nous avons un accord tacite qui est de ne pas parler de la dame aux yeux de glace. Elle sait ce que je pense et son silence fait que je la respecte encore davantage.

Il est certain que Wil a beaucoup plus de distance vis-à-vis de la correspondance entre les deux frères.

En tout cas elle est la première personne avec laquelle Johanna peut partager son enthousiasme face à l'écriture de Van Gogh.

Johanna ose montrer à sa belle-sœur l'édition personnelle des lettres qu'elle est en train d'établir: elle écarte le superflu, révise et cadre jusqu'à ce qu'elle y trouve des éclairs, une musique libre.

Elle en lit quelques mots à haute voix.

Les figuiers émeraude, le ciel bleu, les maisons blanches à fenêtres vertes, à toits rouges, le matin en plein soleil, le soir entièrement baigné d'ombre portée projetée par les figuiers & roseaux.

Elles n'ont plus de doute: Van Gogh était un grand poète avant de devenir un grand peintre.

Amies et confidentes, Johanna et Wil gagnent en audace lorsqu'elles sont ensemble.

Elles adoptent elles aussi la tendance, très générale, des robes ajustées, même si chez certaines femmes les formes qu'elles soulignent avec précision ne sont pas irréprochables. Elles ont également décidé de raccourcir leurs vêtements, surtout derrière.

C'était tellement incommode et laborieux de devoir relever la traîne de ses vêtements et la ramener en avant pour se déplacer facilement dans le monde. Maintenant c'est à peine s'ils touchent le sol.

« C'était impossible de garder une jupe propre », dit Wil, et elles rient comme deux adolescentes complices.

Le soir, Johanna lui montre ce qu'elle a sauvé d'une description d'un tableau de Corot par Van Gogh.

Un groupe d'oliviers
plongés dans le bleu du ciel
au coucher du soleil,

au dernier plan
des collines
avec des arbustes,

en haut
l'étoile du soir.

Wil est enchantée par ce jeu que pratique Johanna pendant ses insomnies. Elle lui propose de l'aider si elle décide d'exposer les tableaux de son frère.

Elle partira demain.

Elle va manquer à Johanna.

Heureusement je n'étais pas avec Vincent.

Aujourd'hui, au marché de Bussum, je me suis revue dans un enfant de trois ou quatre ans et j'ai retrouvé une frayeur disparue.

J'ai vu l'horreur dans son regard quand la femme mûre aux hanches puissantes a tiré de sa cage une poule tapie dans un coin contre la grille comme si elle demandait grâce en caquetant désespérément.

Mon regard allait de l'enfant à la femme qui agissait froidement, de manière impersonnelle, et qui serrait d'un coup sec le cou de la poule qui tournoyait dans l'air semé de plumes.

Dans le regard fixe de l'enfant j'ai perçu le râle de l'animal, les soubresauts de plus en plus lents de l'agonie, les signes de son corps et de ses pattes dans l'ultime réflexe.
Puis l'odeur du sang sur le sol en terre.
Le petit avait tourné la tête et regardait ailleurs.

Pour plus d'une raison, Octave Mirbeau n'avait pas envoyé à Johanna les critiques de l'exposition Van Gogh organisée par les Vingtistes le mois précédent à Bruxelles.

C'est finalement Hendrik Bonger qui reçoit les coupures de presse à Amsterdam et les apporte à Bussum avec son sourire complaisant et goguenard.

« Tu ne penses pas que tous ces tableaux feront du bon bois de chauffage ? » demande-t-il à Johanna, et il lui laisse les coupures de presse sur la grande table.

Dans *L'Éventail* ils ont écrit une phrase incompréhensible d'où ressort une méchanceté lapidaire. *Ces tableaux écœurants veulent-ils dire qu'en réalité ces redoutables Vingtistes ne sont que des déséquilibrés, un peu épileptiques, dont ils ont adopté le masque hâbleur ?*

Il y en a une autre, encore plus horrible, rédigée dans une prose de mauvais goût. *Le défunt Van Gogh, qui de loin doit être très contrarié s'il voit les gens ébahis se tordre de rire devant ses épouvantables toiles*[1].

Johanna se demande si elle est plus irritée par les critiques négatives ou par l'attitude de son père.

1. Johanna conserve les critiques dans le dossier de dénigrements que Van Gogh avait accumulés au cours des expositions collectives à Paris. *Un ramassis de couleurs et d'étoiles qui ressemblent à un tourbillon de blanc, de rose et de jaune directement sortis du tube,* a écrit Félix Fénéon à propos de *La Nuit étoilée.* Gustave Kahn, de son côté, notait les insatisfactions d'un coup de pinceau vigoureux mais insouciant de la valeur et de la justesse des tons.

Elle écrit à Octave Maus. Elle le remercie et lui demande de renvoyer les peintures et les dessins qui n'ont pas été vendus.

Un peu contre vents et marée elle se prépare à suivre les indications de Van Gogh dans ses lettres et établit une feuille de route.

Elle est presque prête à entrer dans l'arène.

Elle attend des signes.

Dans une polycopie de quatre pages du journal féministe clandestin que Wil lui a laissé à la Villa Helma, *La Femme libre*, Johanna découpe une information signée du pseudonyme de Lucia Tower sur l'attitude qu'il convient à une femme d'adopter si elle doit entreprendre une nouvelle tâche dans le domaine social : *ne pas être timorée, ne pas prétendre au succès immédiat car ce qui est authentique demande du temps, et trouver de la satisfaction dans l'exercice de son travail.*

Émile Bernard m'appelle de Paris.

Il m'annonce que certaines choses se sont compliquées ; curieuse façon de dire qu'il est très occupé et s'est donné d'autres priorités.

Son intention est de reporter à l'année prochaine l'exposition de Van Gogh à Paris.

Il me raconte en outre quelque chose qui aurait pu être évité. Quelqu'un lui a appris que le docteur Rey possédait le portrait que Van Gogh avait peint de lui à l'hôpital d'Arles et l'utilisait pour boucher un trou dans son poulailler.

Heureusement il m'a donné le nom de deux critiques de La Haye et me suggère entre autres une galerie, le Pulchri Studio.

En fin de compte, les difficultés semblent la stimuler.

Les coliques de Vincent au milieu de la nuit, les mauvaises critiques de Bruxelles, la lettre de Bernard, tout s'embrouille dans l'esprit de Johanna. Et pourtant elle sent que c'est le bon moment pour faire connaître l'œuvre de Van Gogh.

C'est maintenant ou jamais.

Elle compte ses économies. Parmi les quatre cent cinquante dessins qui sont arrivés de Paris elle n'en choisit que quinze de sa première période de La Haye.

Elle ne peut pas faire davantage.

Un investissement minimum dans des cadres et la possibilité de transporter les œuvres sans trop de frais supplémentaires.

Prise d'une impulsion soudaine, elle laisse Zuleica deux jours à la barre de la Villa Helma.

Si j'arrive à vendre deux dessins, l'investissement sera de nouveau consacré à l'œuvre.

Il faut encadrer la plus grande quantité possible et donner aux cadres le lustre nécessaire pour qu'ils mettent les couleurs en valeur, comme le conseille Van Gogh dans ses lettres.

Alors les objectifs de cette première étape seront atteints.

Les critiques Rinus Neeskens et Ernst Rensenbrick ont été très heureux de pouvoir aider une femme et de se sentir en outre pionniers de la découverte d'un peintre oublié.

Ils ont été aimables. J'ai appris, et je m'en réjouis, que c'est une femme qui dirige la galerie Pulchri Studio.

Johanna se promène dans La Haye avec Vincent dans ses bras.

« Le philosophe horloger aurait détesté cette pompe », dit-elle à voix haute, à sa seule intention, devant le monument à Spinoza de Grote Markt.

Elle retrouve en marchant l'odeur de cette ville : un mélange de tulipes fraîches, de déchets de cloaque destinés à l'agriculture et la brise des moulins qui aspirent l'humidité des terres basses.

Johanna va voir le majestueux panorama à l'huile de Mesdag, une réalisation cylindrique de plus de quatorze mètres de haut représentant le paysage de Scheveningen. Johanna se dit que bien qu'il ait déjà dix ans, il est resté magistral.

Elle arrive à la galerie à midi.

La propriétaire des lieux, une femme à la voix nasillarde et aux grands yeux qui doit approcher les cinquante ans, ne sait si elle doit accorder plus d'attention à Vincent, qui se met à courir dans les allées de la galerie comme s'il était dans un marché, ou aux dessins qu'apporte Johanna.

Johanna enlève le linge qui enveloppe deux dessins : le portrait d'un homme avec sa pipe en terre, un œil bandé, dessin réalisé au fusain noir, et une mère et son fils dans un moment d'intimité, au fusain noir et au crayon, avec de la gouache bistre pour les parties les plus lumineuses.

Ce n'est pas difficile de trouver un emplacement.

Mais cette dame si réservée a du mal à comprendre qui est Johanna : elle s'obstine à la considérer comme la veuve du dessinateur. Johanna lui explique deux fois et n'est toujours pas sûre que la dame ait compris. Après avoir jeté un coup d'œil au dossier de critiques favorables soulignées au préalable, la dame comprend qu'en effet les dessins doivent être exposés.

> Elle n'a pas demandé grand-chose de plus. Nous avons fixé la date à la fin décembre.
> Tout le monde sait que ce n'est pas la meilleure période : en hiver, avant les fêtes. Mais c'est ainsi : les grands voyages commencent par un premier pas, comme disait ma grand-mère.

Il existe peu d'informations sur le succès de cette première présentation de Van Gogh en Hollande. À peine deux paragraphes de Johanna dans son journal.

> L'exposition au Pulchri Studio ne s'est pas mal passée.
> J'ai vendu cinq dessins au total, de quoi encadrer ceux de la prochaine exposition. Quatre nouvelles critiques, toutes favorables.
> Et Jan Toorop est venu avec son épouse, Soleil.

À peine fait-elle connaître l'œuvre de Van Gogh que Johanna se fait de nouveaux alliés. Toorop, qui a connu van Gogh dix ans plus tôt à ses débuts, est arrivé de voyage le jour de l'inauguration à La Haye, avec un brin de jasmin de Chine sur le revers démesuré de sa redingote sombre.

Jan Toorop revient toujours de quelque part.

Élégant, la peau brune, les cheveux très noirs et soigneusement coiffés, et une ombre de tristesse dont il ne se défera peut-être jamais. Il paraît que maintenant, après la terrible tragédie de la mort de sa petite fille, Berlage lui-même lui a construit une maison aux environs de Katwijk.

Johanna sait qui il est. Elle sait qu'il est né à Java, qu'il est excentrique, mais pas seulement : Théo lui avait montré des tableaux de ce peintre. Elle se rappelle que son mari s'intéressait réellement aux réalisations pointillistes et surtout à Toorop, qui était si différent des autres.

Toorop a été mis au courant de la mort de Théo et de l'exposition de Van Gogh presque en même temps. Tout en ne pouvant pas trop croire qu'une femme se charge de son œuvre.

Il a paru sincèrement intéressé : il a acheté deux dessins, un nu mélancolique et abattu, et un dessin de racines que Johanna a intitulé *Étude d'arbre.* Intrigué par le reste de l'œuvre, il s'est engagé à rendre une visite à Johanna à la Villa Helma avec sa femme.

À la Villa Helma Vincent fête ses deux ans. Dans une atmosphère presque opposée à celle de l'année précédente où l'agonie de Théo avait fait que le premier anniversaire de l'enfant s'était passé parmi les ombres.

Cette fois Johanna a allumé des bougies dans toutes les pièces de la maison et elles éclairent les tableaux d'une manière différente. Elle a préparé trois recettes de saumon fumé, l'une avec une crème de petits pois et de poireaux, une autre avec des petites pommes de terre et la douceur forte du piment espagnol, et la dernière aux champignons, olives vertes et vin blanc.

Sont venus sa sœur Karah, d'Utrecht, son frère André, de Paris, sans sa femme, et les deux couples les plus proches de Johanna à Bussum, les van der Horst et les Rep.

La Villa Helma n'a jamais été aussi joyeuse.

Vincent dort encore. Tant de gaîté autour de lui l'a épuisé.

Quand Toorop est arrivé avec sa femme le samedi matin pour passer la fin de la semaine ici, il a fait une chose étonnante : il est resté un long moment sans rien dire, perplexe, puis il s'est mis à rire comme un fou devant cette marée de tableaux accrochés aux murs.

Un grand rire, comme celui d'un enfant qui entre dans un bois.

Réellement ébloui, il riait aux éclats devant cette démesure et ces couleurs.

À la fin de son séjour, Toorop avait noté dans son calepin les différentes étapes qu'avait connues sans répit la vie artistique de Van Gogh. La craie noire et le fusain de ses débuts, les huiles de l'obscurité des *Mangeurs de pommes de terre*, le lavis à l'encre de Chine de Drenthe, les aquarelles de Scheveningen, les dessins rustiques d'Anvers, sa découverte des estampes japonaises et toutes les écoles qu'il avait rencontrées à la lumière française jusqu'à ce qu'il ne ressemble qu'à lui-même.

Toorop s'est montré particulièrement séduit par ses œuvres de transition, quand Van Gogh avait parfaitement maîtrisé un style et s'apprêtait à prendre une autre direction.

« Ces changements soudains de cap ont quelque chose de génial », a-t-il dit en ouvrant les bras, oubliant toute retenue.

Toorop s'est aussi montré réaliste quant à ce qu'il pouvait obtenir car il connaît très bien les tensions et les caprices du marché de l'art.

« Tant qu'ils ne seront pas sur le marché on ne pourra pas en estimer la véritable valeur », a-t-il dit quand nous avons enfin parlé chiffres.

Soleil, sa femme, a été très gentille et excessivement silencieuse. Elle paraît un peu isolée du monde à cause de tout ce qu'elle a souffert.

Je crois qu'elle a étudié les philosophies orientales.

Je repense à une chose qu'elle a dite et que je n'oublierai jamais : *Si chaque style était une vie, Van Gogh aurait vécu au moins huit vies en une seule décennie.*

Cela m'a fait réfléchir.

Avec générosité ils ont promis de m'aider à organiser les prochaines expositions.

Johanna travaille toute une nuit d'insomnie sur les lettres. Elle souligne quelques paragraphes au crayon. *Je pense ne rien te dire de nouveau : je te demande seulement de ne pas aller chercher des idées meilleures que celles que tu as déjà en toi,* conseille Van Gogh à Théo, au début, avec profondeur mais avec ce ton sans équivoque de frère aîné.

J'essaie maintenant de prendre soin de moi comme quelqu'un qui a tenté de se suicider et qui est resté sur la berge rien que parce que l'eau était froide, écrit-il vers la fin.

C'étaient les phrases qui rendaient Théo fou d'inquiétude.

Johanna reste à contempler les nuages de l'est à l'aube. Un peu plus bas, elle aperçoit la cime d'un amandier. On dirait un tableau japonais du XVIIe siècle.

Johanna pense à des ciels avec des cyprès accrochés à la tête de son lit. Et elle se surprend à regarder le paysage à sa fenêtre comme s'il s'agissait d'un tableau de Van Gogh. Elle s'endort.

Le lendemain, de mauvaise humeur à cause de la fatigue, elle trouve dans les lettres une atmosphère tout autre. *Je pense souvent à toi, et je fais des vœux pour que mon œuvre arrive à être bonne, intéressante et virile, afin qu'elle puisse te donner le plus tôt possible quelque satisfaction,* écrit-il à Théo à la fin d'une lettre de La Haye en 1882.

Virile, pense Johanna. Elle relit : *virile,* et se retient. Elle fait un effort pour ne pas déchirer cette lettre.

C'est ainsi. Je peux maintenant l'écrire sans tristesse : le véritable amour de Théo dans sa vie a été Van Gogh.
Ni mon fils ni moi n'avons réussi à changer son destin. Mais que l'on ne me demande pas de comprendre ce genre d'amour inconditionnel qui les a entraînés dans la mort.
J'irai aujourd'hui au cimetière à Utrecht.

Je serai soulagée. Ce n'est pas le moment maintenant et ce serait hors de propos, mais je promettrai à Théo qu'un jour je l'emmènerai auprès de son frère, pour qu'ils reposent ensemble dans le cimetière d'Auvers[1].

Vincent est tombé en voulant courir après une balle et je l'ai aussitôt relevé. Il s'était fait mal au genou. Je suis restée un instant accroupie avec lui à lui chercher une distraction. J'ai regardé de tous les côtés. Je lui ai montré un voilier au loin qui traversait le premier brouillard du matin et qui semblait sorti d'un rêve. Je suis entrée dans le monde de Vincent. Ensemble, lui debout sur sa douleur et moi accroupie à côté de lui, les yeux fixés sur la lente navigation. Je me suis mise à genoux et j'ai contemplé le monde à hauteur de mon fils. Puis je me suis relevée. Sur un ton paternel je lui ai demandé d'arrêter de se plaindre, que ça passerait.
Vincent a cessé de pleurer.

Le rythme s'accélère dans la vie de Johanna.

Les Toorop se présentent à la Villa Helma fidèles à leur promesse. Jan lui dit qu'il a eu des conversations à Amsterdam et d'un ton discret et professionnel lui demande si elle approuve l'idée de deux expositions en février : l'une à la galerie Buffa où on pourrait présenter dix peintures et douze dessins. On peut en programmer une autre en même temps dans une petite salle d'une association d'artistes, avec seulement des dessins.

Il affirme que la presse ne pourra pas rester indifférente à deux expositions, petites, certes, mais simultanées.

---

1. Bien plus tard, en 1914, vingt-cinq ans après la mort de Théo, Johanna a transféré ses restes du cimetière d'Utrecht à celui d'Auvers, à côté de la tombe de son frère.

Johanna donne son accord sans hésiter une seconde. Et elle se met au travail.

Cet après-midi, pendant que son fils fait la sieste, elle essaie de trouver un ordre dans les toiles. Ce n'est pas facile.

Dans la pénombre du soir, devant l'image d'un coin de jardin environné de buissons, un saule pleureur et, dans le fond, des touffes de laurier-rose, elle sent que les coups de pinceau semblent porter encore le poids de son absence.

À un certain moment Johanna se laisser happer par les yeux d'un de ses autoportraits. Celui qu'il a peint peu après s'être mutilé.

Il porte un bonnet d'hiver, un pansement qui lui mange une partie du visage et souligne encore davantage la profondeur de ces yeux.

Johanna doit franchir une barrière de peur.

Elle a besoin d'aller faire un tour.

10

Après un hiver qui a connu ses rigueurs, chaque bourgeon de Bussum recèle un éclat différent pour qui prend le temps de regarder.

De deux grandes malles parfumées de camphre et de lavande, Johanna retire des vêtements d'une autre époque.

Elle choisit pour cet après-midi une tunique en écossais Gordon de cheviotte, très sobre, qui lui laisse une épaule découverte.

Elle l'essaie devant le miroir de la garde-robe.

Lui est arrivé dans une invention moderne de Panhard et Levassor, un moteur à essence qui fait avancer un habitacle sur deux roues et peut transporter quatre personnes : un petit fiacre sans chevaux.

Il a étiré ses longues jambes en descendant et a lissé son costume beige printanier.

Il m'a frappée parce qu'il se déplaçait dans le monde à son propre rythme. Il ne pouvait pas être commerçant, parce qu'il ne m'a pas regardée de haut en bas ; ni héritier : il ne portait pas de grosse chaîne en or et n'avait pas les doigts chargés de bagues.
Il est entré dans la Villa Helma sérieux mais furtif, sympathique et mystérieux à la fois.

Il ne ressemblait pas à un journaliste, il était élégant et bien habillé. Médecin ? Non. Il était courtois et bien élevé. Ce ne pouvait pas être un employé, il ne semblait pas que cet homme puisse répondre aux demandes d'autres personnes. Un écrivain non plus : ni lunettes ni livres sous le bras. Et encore moins un militaire : il n'avait pas la voix contrainte de celui qui a donné ou reçu tellement d'ordres.

Il s'est présenté comme marchand, il a donné son nom à haute voix, Clément Roman, et a ajouté qu'il avait vu l'exposition à La Haye et qu'on lui avait parlé de la Villa Helma.

Je me suis vite aperçue qu'il convoitait davantage une jeune veuve qu'un paysage d'Arles.
Ou les deux, en tout cas.
Il a dit qu'il reviendrait plus tard pour regarder sous un autre éclairage les tableaux dont les voisins de Bussum lui avaient tant parlé.
Et son image est restée un bon moment sur ma rétine.

Le soleil allait se coucher quand il est revenu.

Le petit était pour quelques heures dans la maison d'à côté chez les van der Horst, et Clément Roman a regardé les tableaux tout en remerciant pour le verre de vin blanc et il parlait, comme tout séducteur, en maniant le double sens.

Il a fixé le regard sur le bord de dentelle de mon décolleté jusqu'à ce que je me sente mal à l'aise.
Mais il a repris ses distances et je suis entrée dans le temps, lent, de M. Clément Roman.

Outre les cerisiers en fleurs et les vieux godillots de la misère, qui ne sont pas à vendre, Johanna dit qu'elle a des dessins délicats que le marché acceptera sans grande difficulté avant qu'elle expose les œuvres les plus audacieuses.

Les plus audacieuses, répète Clément Roman curieux, bien plus intéressé par les œuvres que Johanna n'est pas disposée à vendre.

Nous sommes arrivés jusqu'aux tableaux qui méritent un musée.
Quand je lui ai montré en dernier la série des tournesols à côté de mon lit il a été pris d'une joie véritable.
Et je l'ai laissé ressusciter mes lèvres de jeune veuve avec les siennes.
Il a voulu aller un peu plus loin, mais ce n'était pas le moment.

Johanna invite Clément Roman aux deux expositions d'Amsterdam la semaine suivante.

Amsterdam, dimanche tard.
Les deux expositions se sont passées très vite et nous avons porté un dernier toast il y a peu avec les Toorop.
Les œuvres de mon beau-frère font plus de bruit que je ne l'avais prévu. J'ai très bien vendu quatre toiles et six dessins.
De surcroît, il y a eu huit commentaires favorables de divers critiques sur l'œuvre de Van Gogh.

C'est une période où Johanna subit les deux premières interviews de journalistes de sa vie.

Johanna constate que les deux reporters, qui ont préparé des questions presque identiques, sont friands de détails sur la vie tragique de Van Gogh.

Ils aiment qu'il s'agisse d'un peintre oublié, qu'il ait été un mystique, un fou et un homme à femmes, et qu'il se soit suicidé dans la pauvreté sous le soleil de la France.

Comme s'il s'était servi de sa propre mort pour révéler l'éclat de son œuvre, écrira plus tard l'un d'eux.

Les journalistes adorent les histoires qui ont une fin.

Les critiques et les reportages font de l'effet et commencent à changer le destin des tableaux oubliés de Vincent Van Gogh.

Le dernier soir de l'exposition à la galerie Buffa, Johanna est abordée par Joseph Znidar, responsable de la galerie Oldenzeel à Rotterdam.

En parcourant la salle avec elle, l'homme dit simplement qu'un peintre n'a pas respecté les délais de livraison et qu'il a donc de la place dans sa galerie à partir du 20 mars. Johanna a déjà appris que toute négociation dans le monde de l'art, un emboîtage d'abstractions, est une mise en scène. Elle ne répond pas.

« La plus grande salle… Vingt toiles et vingt dessins c'est le nombre idéal pour cet espace », estime Znidar.

Johanna acquiesce tout en sachant qu'elle n'a pas vingt toiles encadrées, pas d'argent pour commander le travail, et qu'elle devra se hâter, travailler contre la montre.

Elle dit oui sans trop réfléchir.

Quand ils passent devant le portrait d'Eugène Boch elle se surprend un peu elle-même. « Le cobalt est une couleur divine. Rien ne le surpasse, regardez, pour donner du corps à l'air qui entoure les objets », dit-elle au marchand de Rotterdam qui s'arrête devant le tableau.

Cette phrase est l'une de celles, nombreuses, que Johanna a retenues des lettres de Van Gogh.

Joseph Znidar est lui aussi assez ébloui par cette femme.

Le petit Vincent qui demande de plus en plus de temps et d'attention, la sélection des tableaux que Johanna ne veut laisser à personne, l'auberge qui marche de mieux en mieux, Johanna informe Wil des nouveautés et des urgences. Aussitôt celle-ci accourt : la sœur des Van Gogh est toujours là quand il s'agit de relever un défi.

L'après-midi même elles réparent un oubli de Théo et entreprennent de donner un cadre approprié aux *Mangeurs de pommes de terre.*

D'après une lettre postée de Nuenen, Van Gogh voulait un encadrement couleur or ou, en tout cas, *accrocher ce tableau sur un mur peint du ton profond du blé mûr. En raison de son intérieur gris, ce tableau n'est pas mis en valeur sur un fond sombre ou terne.*

Elles ne comprennent pas pourquoi Théo le gardait sur un fond de bois noir. Elles cherchent un cadre et le font peindre en jaune. Les deux femmes fêtent l'événement. Dans son nouveau cadre doré le tableau gagne en intensité dramatique, en caractère et en présence. Il paraît différent.

Entre Johanna et Wil la complicité grandit, notamment avec la lecture des lettres de Van Gogh.

Wil se rappelle que dans sa jeunesse il avait pris des leçons de musique avec un vieil organiste d'Eindhoven.

Pas longtemps.

Il s'était lassé de la manie de Van Gogh de comparer notes et couleurs : il voyait un do tenu comme le bleu de Prusse, associait un fa mineur à un ocre jaune.

« Le professeur, un peu effrayé, lui a carrément demandé de ne plus revenir », se souvient Wil.

Elle confie à Johanna que Van Gogh souffrait quand il la voyait avec un livre et qu'il lui conseillait de s'éloigner de la philosophie, de sortir s'amuser[1].

« Je ne croirais que dans un dieu qui sache danser », lui disait-il en citant Nietzsche comme s'il s'agissait d'un ami peintre.

Johanna Van Gogh-Bonger vit des jours intenses. Elle apprend différents rôles en même temps : la jeune veuve, la mère seule, la patronne d'une auberge et la marchande d'art débutante décidée à réhabiliter l'œuvre de Van Gogh.

> Sans l'aide de Zuleica je n'aurais pu relever aucun de ces défis.
> Le pire ces temps-ci ce sont les frais de réparations imprévues dans la maison ou parce qu'il faut tailler les filaos qui ont servi à consolider la terre de la berge.
> Certains s'inclinent trop vers le canal. Ces choses-là m'arrachent des mains le budget que je gère.

Clément Roman revient à la Villa Helma.

Quoi d'autre sinon un destin favorable fait que Vincent passe précisément la journée chez ses grands-parents à Amsterdam ?

Johanna l'invite à déjeuner.

---

1. Grande lectrice et douée pour le dessin, Wilhelmina Van Gogh, la plus jeune des sœurs, est par ailleurs considérée par Johanna comme une habile administratrice. Féministe, au début du XXe siècle elle a organisé une exposition collective intitulée *La Femme.* Plus tard elle a également souffert de troubles mentaux et a passé beaucoup de temps dans un établissement psychiatrique.

Avant qu'ils aient terminé le deuxième plat, Clément se lève, met les mains sur les épaules de Johanna et, sans un baiser, déboutonne son corsage lentement, avec savoir-faire, avant de découvrir un jupon de dentelle noire qui l'enflamme. Finalement il lui enlève sa robe et son pantalon avec plus de violence qu'autre chose et Johanna, un peu interdite, le regarde la chevaucher par-derrière. Heureuse de le laisser faire.

Je n'ai pensé à rien et je suis devenue comme de l'eau miroitante.
Je croyais atteindre le fond même du plaisir quand il a dénoué avec autorité mes longs cheveux attachés sur la nuque et m'a pressée sans parler de les secouer, d'en balayer l'air de la chambre.
À la lumière de la sieste ils faisaient un rideau papillotant.
Il a acheté deux tableaux et il est parti.
Plus tard je me suis plongée dans l'eau chaude.

À sa grande surprise, le 2 mars 1892, l'après-midi de l'inauguration, dans la salle principale de la galerie de Rotterdam, Johanna croise Elisabeth Van Gogh, la cadette des Van Gogh[1].

---

1. Quand son frère commença à acquérir du prestige, Elisabeth, née en mai 1859, mariée à un juriste du nom de Du Quesne, voulut écrire un livre qu'elle intitula *Souvenirs*. Il semble qu'elle n'ait guère eu de relations avec son frère, d'où l'incompréhension qui transparaît dans ses écrits, dirent des critiques. Ce fut Anne, l'aînée des Van Gogh, qui dirigea en grande partie la maison familiale jusqu'à ce qu'elle se marie en août 1878 et se consacre à son mari et à ses enfants. (Pierre Leprohon, *Vincent Van Gogh*, Paris, 1972.)

La copie de sa mère.
Vingt toiles et quinze dessins de son frère qui ne l'ont pas retenue plus d'un quart d'heure.
En accomplissant visiblement une obligation familiale elle est venue dire bonjour à son neveu qui a refusé qu'elle le prenne dans ses bras.
Nous n'avions pas grand-chose à nous dire.
Bien que sa vie soit un sanctuaire j'ai pris mon courage à deux mains et en la regardant dans les yeux je lui ai demandé si elle avait une idée de ce qu'étaient devenues les toiles de Nuenen que Van Gogh avait laissées en garde chez mère.

« Je crois qu'elles sont restées dans l'atelier d'un menuisier de Breda, M. Schrauer », a répondu Elisabeth.

Elle ignore elle aussi où sont passés ces tableaux.

Finalement, par devoir, Johanna s'enquiert de la santé de sa mère.

« Elle souffre tout le temps de la hanche depuis son dernier accident. »

Elle ne me dit pas ce que j'ai appris par d'autres.
Que la dame passe son temps à parler à haute voix avec ses fils morts.
Et qu'elle se déplace de moins en moins.

Clément Roman, ce presque inconnu qui ne pose pas de questions, revient encore.

Cette fois il arrive à Bussum en voiture de louage et non dans ce fiacre à moteur trop voyant au goût de Johanna et du village en général.

Il arrive très tard, de nuit, et frappe à la porte principale.

Comme le petit Vincent dort dans la chambre contiguë il n'y a pas de place pour les déchaînements incontrôlés, mais de toute façon ils se produisent en silence.

Johanna retrouve son corps. Elle en redevient maîtresse.

Le soir, seulement le soir, dans ma chambre, j'allume une, au maximum deux beedies.
Des cigarettes très fines qui viennent du Gujarat en Inde. Ce n'est qu'une feuille de tendu roulée avec une simplicité orientale, attachée par un fil bleu ciel, qui s'éteint souvent pendant qu'on la fume. Mais qui laisse longtemps un goût de désir sur le palais.

Une explication que donne Van Gogh, en passant, dans ses lettres d'Arles sur le contraste des couleurs fait réfléchir Johanna pendant plusieurs jours.

Un rouge gris, relativement peu rouge, paraît plus ou moins rouge selon les couleurs qui l'accompagnent. Telles le bleu et le jaune. Il suffit de mettre une touche insignifiante de jaune dans une couleur pour la rendre très jaune si on place cette couleur à côté d'un violet ou d'un lilas, écrit-il.

Johanna décide d'améliorer la vaisselle de la Villa Helma et achète des assiettes et des plats de différents tons.

Un riz jaune safran mérite un service violet ou bleu; un canard rôti et doré est rehaussé par un plat uni avec un fond vert éclatant.
Une simple purée de pommes de terre, bien blanche, dans une faïence grenat, par exemple, prend davantage d'éclat.
La Villa Helma grandit grâce à de tels détails.

11

Quand vient la fin de la journée, Johanna est très fatiguée.

Cette nuit elle se retourne dans son lit sans Clément Roman. L'insomnie la guette.

La peinture de son beau-frère provoque un tourbillon d'événements et Johanna se demande avec inquiétude quand il convient de se laisser porter par eux et quand c'est le moment de prendre des décisions.

Elle ne tient pas en place. Au lieu de s'embourber dans ses réflexions elle se lève et prépare du thé à deux heures du matin. Elle écrit des règles et des dates dans le carnet qu'elle a appelé *Œuvre de Van Gogh* où elle a établi un plan d'action qui, avec le temps, s'est rempli de brouillons et de nouveaux calculs.

Elle en oublie son journal personnel, tout en sachant que sans lui elle perd une référence, la possibilité de se penser d'une autre façon.

Le journal de Johanna s'effiloche dans ces jours de vertige, elle semble dominée par l'action immédiate, comme si elle faisait confiance à l'extérieur pour que les choses s'organisent. Et comme s'il suffisait que sa propre démarche prenne le même rythme pour ne pas détonner.

Elle surprend les habitants de Bussum. Une femme élégante, portant une robe grenat avec des broderies en relief sur les épaules et un chapeau Louis XVI flanqué de deux orchidées, qui transporte des cadres de la gare jusque chez elle comme n'importe quel ouvrier.

Il est probable que lorsque le petit Vincent Van Gogh devenu grand voudra se rappeler la première image de sa mère il la reverra aller et venir de la Villa Helma à la gare chargée de toiles encadrées à la hâte.

> C'est étrange : en même temps que les choses demandent beaucoup d'efforts elles semblent se faire toutes seules. Les expositions se succèdent[1].
> Six en moins de dix mois, dans trois villes différentes.
> Je ne dois pas oublier mon journal.
> Écrire m'aide à garder la bonne distance, celle qui en aucun cas ne nous laisse trop près de quelqu'un.
> Et je ne peux pas négliger Vincent.

Quand Johanna se réveille ce matin-là elle découvre encore une fois, à côté d'elle, son petit garçon qui s'est glissé subrepticement hors de sa chambre à l'aube.

Dans l'après-midi, Johanna prend une décision avec Zuleica : elle accroche à l'entrée de sa chambre un rideau pour chasser les mauvais esprits, entièrement confectionné en coquillages.

---

1. Il y en a au moins trois que Johanna Van Gogh-Bonger ne parvient pas à noter dans son journal intime. Celle qu'organise finalement Émile Bernard à la galerie Le Barc de Boutteville, avec seize toiles retrouvées dans la maison de Tanguy, en avril 1892 ; la deuxième, Haagse Kunstkring werken van Vincent Van Gogh (du 16 mai au 6 juin 1892) à La Haye presque deux ans après la mort de l'artiste ; et une troisième à Rotterdam, de nouveau à la galerie Oldenzeel, Vincent Van Gogh Tekeningen, uniquement de dessins de la période hollandaise (octobre et novembre 1892).

Le bruit la réveillera avant que Vincent réussisse à monter dans son lit. Et ainsi les provocations du matin seront évitées.

Avec sa curiosité habituelle, comme un détective, mais aussi avec une certaine avidité esthétique elle lit les lettres de son beau-frère.

Elle lit toute l'angoissante série qu'il a écrite du sanatorium de Saint-Rémy-de-Provence, puis elle regarde un long moment une étude de déchargeurs à Arles.

Ce jaune pâle haletant du soir qui le poussait à beaucoup trop boire.

On dirait un Turner ou un Monet, mais avec une pincée de rage, alimentée par l'excès d'absinthe, qui donne de l'autonomie à sa peinture, une voix qui lui est propre.

Je le contemple près d'une demi-heure.
La légèreté du paysage comme s'il s'agissait d'une étreinte.
Van Gogh cherche la peinture comme l'eau à la bouche de la tempête.

Émile Bernard ne renonce pas après l'échec de la présentation de Van Gogh à Paris. Dans une lettre qui rend hommage au travail de Johanna pour l'œuvre de son beau-frère en Hollande il la consulte.

De loin, le meilleur ami du peintre, celui qui est devenu entre-temps un des alliés de Johanna lui avoue une idée qui le taraude : publier dans *Le Mercure de France* une partie de la correspondance entre Van Gogh et lui.

Johanna, qui a eu ces jours-ci la même idée, répond qu'elle lui paraît excellente.

Je commets peut-être plus d'une infidélité, mais je vais moi aussi publier ses lettres à Théo.
J'y pense depuis longtemps. Dès que j'aurai la possibilité de présenter une grande exposition je joindrai certaines lettres aux toiles et aux dessins.
Leur corps théorique.
Pour que l'on comprenne que chez Van Gogh chaque coup de pinceau reposait sur un langage.

Cette nuit-là Johanna ne laisse pas Clément Roman imposer son rythme. C'est elle qui, comme un jeu, prend l'initiative.

J'ai exigé qu'il s'attarde sur le téton d'un de mes seins aussi longtemps que j'ai voulu.
Puis, comme si c'était une requête mais en même temps un ordre, je l'ai presque obligé à m'embrasser longuement dans le cou.
De nouveau le sein, et ainsi de suite jusqu'à ce qu'il embrase mon corps tout entier.

Clément revient le lendemain à l'improviste. Ils se voient depuis six mois, un peu en tâtonnant, en retardant le désir par des étreintes furtives, sans qu'il se passe encore entre eux davantage que la coïncidence de deux corps.

Peut-être parce qu'il commence à leur arriver d'autres choses, ou parce que Clément Roman est poussé par une rivalité absurde entre hommes, allez savoir, et comme pour intervenir dans l'aide considérable que Toorop et Bernard ont apporté à Johanna ces derniers temps, il fait une annonce.

Il la présente en dandy, comme si elle n'avait pas la moindre importance. Il informe sa maîtresse qu'il a obtenu pour décembre la salle principale de la Kunstzaal Panorama d'Amsterdam. Rien de moins.

Johanna n'en croit pas ses oreilles[1].

Presque quarante-cinq jours au Panorama pour l'œuvre de Van Gogh.
Une longue durée en raison des jours fériés de la fin de l'année, me disent les responsables, mais il est certain qu'ils sont contents de terminer et commencer l'année avec les tableaux de Van Gogh.
Ils se chargent d'inviter eux-mêmes les critiques.
Et ils me demandent de penser au prix des œuvres: la commission sur les ventes des expositions au Panorama n'est jamais inférieure à vingt pour cent.

Rares sont les moments dans la vie où quelqu'un est capable d'être sur plusieurs fronts à la fois avec la même efficacité. Johanna traverse une période où sa vie se précipite, le matin se précipite, les lys en fleurs les coïncidences.

Un thé dans l'après-midi, un quatuor à cordes sont une façade idéale pour des rencontres de femmes, invitées par Wil Van Gogh à la Villa Helma, qui débattent clandestinement de leur avenir et de leur place dans le monde.

À l'occasion de ces réunions Johanna fait la connaissance d'Henriette Roland Holst.

Elle a un peu plus de vingt ans, ce n'est pas ce qu'on appelle une jeune femme gâtée par la nature, elle a un nez d'homme trop volumineux pour son visage, mais elle

1. La salle principale du Panorama d'Amsterdam abritera l'œuvre de Van Gogh pendant près de deux mois, du 17 décembre 1892 au 5 février 1893.

possède sans aucun doute le regard intense de quelqu'un qui sait pratiquer la rébellion. Elle a déjà publié quelques poèmes que Johanna connaît et auxquels elle trouve de la valeur mais qui pourraient être meilleurs : son récent enthousiasme socialiste et féministe lui fait parfois lâcher la bride à son écriture.

Elle se montre fascinée par les tableaux de Van Gogh et réellement perplexe quand Johanna lui demande si elle aimerait écrire un texte pour le catalogue de l'exposition de la Kunstzaal Panorama d'Amsterdam.

Au milieu de la réunion Henriette est anxieuse comme lorsqu'elle a envie de s'asseoir pour écrire. Elle s'en irait sur-le-champ, avant les résolutions de cette assemblée féministe, lire ce que Johanna vient de lui remettre : un album complet avec les critiques sur Van Gogh, y compris les plus impitoyables, et quelques-unes de ses lettres.

Exactement trois jours plus tard la poétesse Henriette Roland Holst revient avec un texte.

L'artiste Wilhelm Von Gloeden a travaillé sur les cartes postales de la ville et depuis deux ans à Taormina en Italie, où il a dû s'établir pour raisons de santé, il est devenu un spécialiste de la lumière naturelle en recréant des images de l'antiquité. Il produit, monte et met en image avec son appareil, en un instant, des scènes qui paraissent venir du temps d'Homère.

Il existe d'autres cas semblables. Je veux dire par là que les possibilités de la photographie vont obliger de plus en plus les peintres à repenser leur art.

Et quand cette sensation sera générale, alors il n'y aura plus qu'à regarder Van Gogh.

Van Gogh a été et sera probablement le peintre le plus actuel de tous. Il travaille sur l'avènement expressif de la couleur, sur l'épaisseur des formes, sur la vibration la plus intime.

Mais ne vous y trompez pas, Van Gogh ne cherchait nullement le soulagement de la rupture, il ne peignait pas en opposition à une école.

Van Gogh s'était obstiné à voir comment l'énergie circule au-dessus des choses.

Homme de foi, il se fiait à ce qu'il voyait, il se fiait aux couleurs, il se fiait au fond blanc de la toile et avançait ainsi, au grand galop, au-delà du miroir de lui-même.

Henriette dit que c'est le début.

Johanna pense que par timidité peut-être le texte tarde à aborder le sujet, et qu'ensuite il s'évapore un peu derrière le langage.

Elle pense cependant qu'il n'est pas mal du tout.

« C'est très bien, nous pourrions peut-être le mettre encore au point », lui dit-elle en l'encourageant du mieux possible.

Johanna et Henriette Roland Holst se mettent facilement d'accord : la poétesse peut choisir un tableau et un dessin pour son travail. *Cela peut paraître bizarre, mais si nous considérons qu'une chose n'est pas une question de temps, tout se réalisera avec une rapidité surprenante,* pense Johanna.

Le jour se lève sur la Villa Helma et cette femme de plus de trente ans qui a accompagné l'agonie de son mari et se débrouille pour élever Vincent commence à sentir que pour la première fois elle est conduite par une sorte d'héritage.

Comme Van Gogh, je travaille pour l'infini, se dit-elle fièrement dans un excès d'enthousiasme, et elle pose les tableaux les uns à côté des autres dans la grande salle de son auberge pour aller et venir entre eux.

La tâche est plus ardue que jamais. Il y a un an, pour la première exposition, choisir quinze dessins avait été comme donner un pourboire, c'était la partie visible de l'iceberg. Il s'agit maintenant de choisir soixante-quinze toiles, vingt-quatre dessins et quinze lettres. Une incursion dans la totalité de l'œuvre de son beau-frère.

Là où Théo entrait en transe, elle progresse tranquillement au petit matin parmi les tableaux.

Elle ne sait pas lesquels retenir.

De temps en temps elle ferme les yeux et laisse la paume de sa main gauche choisir toute seule.

Peu m'importe qu'on m'appelle la veuve des Van Gogh.
Je dois choisir les tableaux une bonne fois pour toutes.
Clément a apporté sa contribution, les Toorop la leur.
J'écoute aussi Wil, mais il est temps d'effacer les doutes.
Si je ne les fais pas encadrer maintenant, le menuisier ne pourra pas terminer son travail.

Dans l'urgence des bouclages de la presse, Johanna lit les lettres pour trouver parmi quelque six cents les quinze qui les représentent le mieux.

Les lettres de Van Gogh au même niveau que ses tableaux, pour qu'elles leur donnent la parole dont ils ont encore besoin pour aller de l'avant.

Johanna écrit dans son journal et livre à Henriette Roland Holst quelques idées qu'elle a eues ces jours-ci, au cas où elles pourraient lui servir.

Je viens de m'asseoir devant un tableau blanc face au paysage qui m'impressionne… écrit Van Gogh.

Autrement dit, il partait d'un tableau blanc.

Il faut être très artiste ou très fou, ou les deux à la fois, pour entendre par tableau blanc une toile.

Ne serait-ce pas là la différence ?

Van Gogh entre-t-il dans un tableau par un autre, vide ?

Aussi extravagant que cela puisse paraître à certains, c'est un signe de ralliement pour les camarades féministes que le quatuor à cordes qui joue l'*Opus 9* de Haydn en fond sonore dans la salle principale du Panorama ne soit composé que de femmes.

Johanna se sent bien. Elle a commandé spécialement les vitrines pour les lettres à Théo. À côté de chacune d'elles elle a placé le texte imprimé dans une belle typographie.

Elle aperçoit pourtant beaucoup de curieux et quelques critiques qui se penchent un peu, intrigués, et font l'effort de lire directement l'écriture manuscrite de Vincent Van Gogh.

Qu'est-ce qui les pousse à rechercher l'original ?

Il arrive de plus en plus de monde.

Quelqu'un s'approche de Johanna et lui dit à l'oreille qu'il y a plusieurs revendeurs le portefeuille tout prêt.

Le petit Vincent court dans les allées, entre les tableaux, sans aucune solennité. Johanna le laisse faire.

Le nom de Vincent Van Gogh ne sera plus lié à un enfant mort à la naissance, à un peintre fou et excentrique, alcoolique et religieux, amateur de bordels et décadent.

Mieux encore : ceux qui circulent maintenant devant ses tableaux et ses lettres savent que Vincent Van Gogh a été un homme tenté par le feu de la création.

Johanna a peut-être entrepris aussi cette tâche au nom de son fils, pour conjurer la malédiction de son nom.

Elle demande à Wil de se charger un instant de Vincent. Elle a besoin d'aller jusqu'au café Monarca.

Elle ouvre son journal. Il lui reste deux pages dans le cahier Vachette qu'elle a acheté à Paris il y a presque trois ans.

Elle l'a commencé à Pigalle, l'après-midi où Théo est rentré détruit par le suicide de son frère et elle est sur le point de le terminer maintenant, avec la première grande exposition de Van Gogh en Hollande.

J'ai marché parmi les tableaux.
Je ne me suis arrêtée que devant les cerisiers en fleurs qu'il a dessinés pour mon fils.
Et je me suis amusée comme jamais en ayant la sensation de me voir comme une intruse, une spectatrice de plus derrière les visiteurs qui s'avançaient comme à la messe.
Certains parlent de Van Gogh au présent comme s'il n'était pas mort.
C'est fait. Dorénavant Vincent Van Gogh sera le nom d'un artiste.

Johanna revient au Panorama.

Pendant qu'elle essaie de guetter l'enthousiasme ou la déception dans le regard des critiques, elle est saisie comme si souvent par deux idées contradictoires qui lui viennent presque en même temps.

Elle imagine qu'il est peut-être temps de s'arrêter. *Sept expositions en moins d'un an exigent une pause,* juge-t-elle tandis qu'on lui offre une coupe de champagne. Elle le goûte. *Il n'est pas assez frais,* constate-t-elle. Et tournée de nouveau vers l'avenir : *un détail qu'il faudra régler dans les prochaines expositions.*

C'est ce à quoi pense Johanna quand elle voit Jan Toorop traverser la galerie et signaler sa présence d'un signe de tête avec un large sourire. Il est accompagné d'un grand ponte, Bobby Stiles, de la Tate Gallery de Londres.

Toorop a dit à ce dernier en confidence que l'exposition n'est qu'un leurre bien organisé ; le meilleur de l'œuvre de Van Gogh se trouve dans une auberge à l'extérieur de la ville.

Toujours bien élevé Toorop vient demander à Johanna s'il peut lui donner l'adresse de la Villa Helma. Stiles passera le lendemain après-midi avant de retourner en Angleterre.

Il paraît désireux de voir davantage de Van Gogh.

Le 18 décembre 1892, fouetté par un vent glacial qui le rend taciturne, Bobby Stiles marche dans les rues de Bussum à la recherche de la Villa Helma.

Johanna le fait entrer. Il n'a pas l'air d'un Anglais, mais il se trahit par sa façon de manier sa canne – en noyer, avec pommeau en maillechort – et la supériorité tellement londonienne de conserver face à toutes les contrariétés beaucoup de hauteur et une grande distance dans le regard.

Johanna réfléchit à toute vitesse: les acteurs anglais seront toujours les meilleurs du monde. Mais ils ne connaissent parfois qu'un seul rôle qu'ils rejouent encore et encore.

Elle lui sert une infusion de camomille et d'anis tout en remarquant qu'il dissimule sa surprise devant le déploiement de tableaux dans la maison. Stiles a des objectifs clairs et Johanna, qui a mis un peu de côté diverses choses en raison de l'exposition au Panorama, a beaucoup à faire.

La conversation devient immédiatement très difficile.

Le visiteur insiste pour que Johanna lui dise le prix des deux études de tournesols qui sont dans le grand salon.

« Elles ne sont pas à vendre », lui répète Johanna sur tous les tons.

Avec le caractère qu'il a, Bobby Stiles ne peut pas s'empêcher de vouloir des explications.

Johanna lui demande s'il désire une autre tasse de camomille.

Elle ne lui dira pas qu'elle suit les instructions précises que Vincent Van Gogh a laissées à son frère dans ses innombrables lettres : exposer tout ce que l'on peut, vendre le nécessaire pour continuer d'exposer et réserver si possible la plus grande part de son œuvre aux musées. Johanna n'expliquera rien au galeriste anglais.

« Ce sont les tableaux que je regarde quand je veux me remettre d'une tristesse », lui dit-elle en emportant les tasses de porcelaine de Chine qu'elle réserve aux grandes occasions.

Dernière page de ce journal.

Je crois que Bobby Stiles est parti fâché. En bon Anglais, il s'en est allé en me détestant cordialement.

Hier soir, quand Clément est venu me voir, il connaissait déjà l'histoire. Je ne comprends pas comment une conversation intime peut se transformer en information publique, mais il semblerait qu'entre marchands d'art l'information circule à une vitesse surprenante.

« Une femme charmante qui m'agace », a, paraît-il, dit Stiles de moi au buffet de la galerie Buffa d'Amsterdam.

Heureusement, Clément n'est pas venu que pour me confier cette histoire.

Je ne lui pose pas beaucoup de questions. C'est peut-être pour cette raison qu'il reste jusqu'au matin.

12

Une jupe droite en drap bleu, une blouse ample et en dessous un maillot de rameur. Rien de plus pratique, avec une capeline de paille anglaise ornée d'une gaze qui se noue, pour effectuer le travail ennuyeux de démonter une exposition.

Accompagnée d'Adrian, le fils aîné des van der Horst, Johanna revient d'Amsterdam avec les tableaux et les lettres.

En tout cas, elle est moins chargée qu'à l'aller.

Trois dessins, une aquarelle japonaise, *La Mairie d'Auvers* et *Femme en bleu* ont été achetés par un commerçant belge. Un autoportrait et quatre estampes parisiennes sont partis en France. Trois galeristes hollandais au regard aiguisé mais peu fortunés qui n'ont pas eu accès aux œuvres majeures ont dû se contenter de dessins de la première période.

Toutes les critiques ont été favorables.

Johanna, qui a pris ses précautions, a décidé de louer deux pièces des van der Horst, toujours aimables, parce que l'œuvre requiert maintenant davantage d'espace.

Elle y laisse les tableaux et les lettres encadrées et rentre chez elle.

C'est bizarre, pense-t-elle.

Elle n'a passé que quatre jours et un dimanche avec son beau-frère, mais depuis le jour où elle est tombée amoureuse de Théo, elle a vécu en quelque sorte environnée nuit et jour par sa présence.

Elle marche vers sa maison, protégée du vent par le bouclier des cerisiers en fleurs et des chaussures, les plus tristes et les plus miséreuses du monde, deux tableaux qu'elle accrochera de nouveau sur les murs de la Villa Helma.

Pour la première fois depuis des mois Johanna n'a pas d'exposition en vue.

Elle n'éprouve ni enthousiasme ni déception en rentrant chez elle après la fin de l'exposition d'Amsterdam et elle salue ses voisins, abritée par les deux tableaux contre le vent froid et humide de Bussum. Si un sentiment l'accompagne, c'est plutôt quelque chose qui ressemble au calme, à la perplexité.

En réalité elle ne sait pas encore si elle se trouve au point culminant d'une aventure ou au début d'un long parcours qui vient de commencer.

Elle ne sait pas encore si elle est face à une porte qui se ferme ou à une autre qui s'ouvre.

CET OUVRAGE A ÉTÉ ACHEVÉ D'IMPRIMER
SUR ROTO-PAGE
PAR L'IMPRIMERIE FLOCH À MAYENNE
EN AVRIL 2017

N° d'édition : 509. N° d'impression : 91052.
Dépôt légal : mai 2017.
Imprimé en France